KB171610

깊은 밤의 기억들

깊은 밤의 기억들

발 행 | 2024년 3월 30일
저 자 | 이범석
펴낸이 | 한건희
펴낸곳 | 주식회사 부크크
출판사등록 | 2014.07.15(제2014-16호)
주 소 | 서울특별시 금천구 가산디지털1로 119 SK트윈타워 A동 305호
전 화 | 1670-8316
이메일 | info@bookk.co.kr

ISBN | 979-11-410-7713-6

www.bookk.co.kr
ⓒ 이운 2024
본 책은 저작자의 지적 재산으로서 무단 전재와 복제를 금합니다.

깊은
밤의
기억들

이범석 지음

저는 이 밤, 아무것도 고치고 싶지 않았습니다. 이 밤이 주는 모든 선물을 저는 그대로 받고 싶었습니다. 잠에 깊이 빠지지 않아 참 다행입니다. 이 시간을 흘려보내고 싶지 않았습니다. 잊혀지고 사라지도록 만들고 싶지 않았습니다.

제 몸에 새겨진 작고 사소한 기억들이 있습니다. 절반은 숨겨져 있고, 절반은 드러나 있습니다. 주의를 기울여야 그 숨겨진 것들을 볼 수 있습니다. 시간을 거슬러 달려가는 것은 더 온전한 길을 만나고 싶기 때문입니다.

시간의 강을 따라 저의 기억들이 흘러가고 있었습니다. 저는 그 순간을 발견하고 찾고 싶었습니다. 이 기록이 바로 그것입니다.

차례

제1부 밤은 말하고 싶다

제2부 깊은 밤으로 들어가다

제4부 밤은 날아오릅니다

마치는 글

제1부 밤은 말하고 싶다

1. 깊은 밤의 기억들

의식의 여정

깊은 밤입니다. 저에게 조용한 어둠이 내려앉은 시간입니다. 저의 이불 속 공기는 따뜻합니다. 이러한 온기는 어린 시절의 기억들을 저의 마음속으로 찾아가게 합니다. 이 공간은 조용하고, 아늑하며, 그리고 고요한 이름을 떠오르게 합니다.

가끔씩 찾아 와 주는 이 옛 기억들은 아주 작은 삶의 힌트를 남겨주고 떠납니다. 하지만 아직 저의 삶을 조망하기에는 부족한 정보입니다. 그러나 저는 이 기억을 읽고 싶은 어린아이입니다. 조금 더 자세히 다가가서 바라보고 싶어집니다.

기억의 거울 속 제 모습이 참 제 모습인지 갑자기 알고 싶어졌습니다. 그 희미한 불빛은 어두운 밤바다를 비추는 희미한 등대와 같은 역할을 합니다. 저는 그 작은 그리고 소소한 빛을 의지하여 여행을 떠납니다.

처음에 이 기억은 의식의 아주 깊은 곳에서 희미하게 울리는 시간의 파도처럼 느껴집니다. 매우 천천히 그리고 조용하게, 거의 눈에 띄지 않게 제 의식 저편에서 아주 미약하고 작게 피어오르는 꽃과 같습니다.

아무도 눈여겨 보지 않은 순간에 어느덧 활짝 핀 해변의 해당화 같습니다. 모래 위에 세워진 이 기억은 매우 암시적이고 아직도 불완전해 보입니다. 부족해 보이지만 완전히 불완전한 것은 아닙니다. 그것만으로도 저는 충분히 고마워하고 감사한 마음이 듭니다.

잃어버린 기억의 조각들

아주 오래전 잃어버렸던 이러한 기억의 조각들이 인간

정신의 깊은 곳에서 여전히 숨을 쉬고 있었습니다. 그리고 매우 시적이고 적은 향기를 풍기면서 자신의 모습을 가끔씩 보여주고 있습니다.

그 산책하는 길목을 찾아가는 것은 복잡한 미로 속으로 들어가는 것과 같습니다. 하지만 그렇다고 너무 복잡하지는 않습니다. 언제나 출구를 알리는 사소한 흔적은 남기고 있습니다. 그 미로에 들어가 본 사람이라면 다시 또 그곳으로 들어가 보고 싶을 것입니다.

그곳을 지나 밖의 세상으로 나오면 언제나 밝은 햇살이 더 강하게 내리기 때문입니다. 더 선명해지는 자신의 얼굴을 마주 볼 수 있기 때문입니다. 찾고자 하는 그 잃어버린 의미를 찾을 수 있다고 믿음을 주기 때문입니다. 그것은 항상 충분하지는 않지만, 그렇다고 버릴 것은 전혀 없습니다.

그 이후, 이 기억은 마치 서해 맨 끝 바다의 파도 소리와 같은 리듬으로 변모합니다. 한 번에 조금씩, 서서히 저에게 다가와 제 마음속에 숨어 있던 비밀스러운 작은 메시지를 남깁니다. 이 순간은 어린아이의 순수함과 소녀의 정직함으로 천진난만하게 저에게 다가와 작은 떨림을 남기고, 또한 침묵의 기다림으로 말을 걸어옵니다.

이 기억은 저의 뺨을 어루만지듯이 가볍게 스치듯 지나가고 있습니다. 아이가 가장 좋아하는 인형을 가지고 놀고 있습니다. 제 안에서 가장 즐거웠던 순간을 지나가고 있습니다. 차가웠던 저의 뺨이 어느덧 포근해졌습니다. 흔적을 남기지 않는 배가 물 위에서 포물선을 만들면서 주위를 빙 돌고 있습니다. 비스듬히 의자에 앉아서 멀리 있는 저를 바라보며 친구를 찾고 있습니다.

사랑에 빠져 잠 못 이루는 밤

깊은 밤에서 잠 못 이루는 사랑에 빠진 젊은이를 기억합니다. 전하지 못한 진심이 담겨진 편지의 내용을 기억하면서 잠에 들 수 없습니다. 낮 동안에 감정의 범람으로 인한 피해를 떠올립니다. 감정의 물결은 폭풍우 속 배를 난파 직전으로 만들었습니다.

마음의 비는 여전히 이 밤에도 내리고 있습니다. 설레게 했던 그 강렬한 시간의 역습도 사라집니다. 폭풍우가 잠잠해지고 수면 아래 가라앉기를 기도합니다. 그 첫사랑의 은총은 언제쯤 감정의 폭우를 넘어설 수 있을까요.

이 밤이 다 가기 전에 그 끝의 시작은 다시 모습을 보여줄 것입니다. 모두 잠이 든 아주 깊은 밤에 잠 못 이루는 사랑에 빠진 한 젊은이는 조금 더 선명히 자신의 모습을 볼 수 있을 것입니다. 그리고 흘러가고 있는 그 시간 앞에 설 것입니다.

부족합니다. 그러나 그는 사랑스러운 밤하늘의 별을 바라봅니다. 좁은 길을 걷고 있는 것으로 만족합니다. 별빛이 인도하는 한정된 길 만을 걷게 되는 것에도 감사합니다. 그리고 자신의 운명의 밤을 기꺼이 받아들입니다. 그것으로 충분하다고 기억합니다.

부족한 기억을 가지고 사랑이라는 오솔길을 걷고 있습니다. 밤은 점점 깊어만 가고 있고 저는 아직도 나그네의 마음으로 길을 찾고 있습니다. 홀로 이 숲길을 걷는 것은 가끔 외롭기도 하지만 괴롭지는 않습니다. 저는 어둠 속에서 언젠가는 그 길을 찾아서 밖으로 나아갈 것입니다. 그것을 믿고 의지하면서 앞으로 한 걸음씩 나아가고 있습니다.

낯선 이방인의 방문

이 낯선 이방인의 방문으로 인하여 저의 기억은 불면의 원인을 찾아 나섭니다. 저는 어린 화가가 되어 불분명한 그림을 그리기 시작합니다. 그릴수록 그 원인은 사라지고 결과만이 남겨집니다. 저는 그 그림을 오래전부터 그려왔다는 것을 알았습니다. 다양한 모습과 얼굴을 하고 밤마다 저에게 나타났습니다. 제 안에서 소화되고 해석되어 진 대로 작곡되어 졌습니다.

저는 첫 음을 아주 오랜 시간 반복해서 두드리고 있었습니다. 조각하다 만 많은 그릇들이 제 앞에 놓여져 있습니다. 아직 완성되지 않은 그 수많은 작품들을 바라보기 시작합니다. 이 인생의 악절은 천천히 긴 호흡을 하면서 써 내려가야 하는 것 같습니다. 내면의 아이가 말하는 소리를 들으면서 그 의미의 조각들을 떠 올려 보곤 합니다.

아무도 찾아 주지 않았던 허름한 시골 창고가 있었습니다. 그곳에는 아직 미발표된 잃어버린 걸작이 숨겨져 있습니다. 그리고 오랫동안 사람들은 그 작품을 찾아 나서지 않았습니다. 하지만 어느 날 우연히 기억

속에서 영원히 사라진 줄 만 알았던 그 작품을 찾게 됩니다. 기억 속에서 사라진 그 무엇을 발견하는 그 순간을 말하고 있습니다. 우리는 아직도 찾지 못한 잃어버린 걸작들이 곳곳에 숨겨져 있습니다.

의식 아래에 있는 것들

개인의 진정한 삶의 작품은 여전히 의식 아래에 잠들어 있습니다. 그 아름다움의 넓이, 높이 그리고 깊이는 아직 측량할 수 없습니다. 그 아름다움은 아직 모습을 드러내지 않고 있습니다. 캔버스에 숨겨져 있던 색채가 빛을 발하기를 기다립니다. 시간이 만들어 낸 각 층을 발굴하고 있습니다. 기억의 각 장면들이 차곡차곡 쌓여 있습니다. 서로 다른 다양한 음색을 내면서 삶을 더 다채롭게 만들고 있습니다.

기억이 만들어내고 있는 흔적을 따라가다 보면, 진정한 자신의 의미를 찾아가는 길을 만나게 됩니다. 이 길 위에서 옛 자신을 발견하고 깨닫게 됩니다. 그리고 지금의 저를 연결하고 있는 또 다른 깊은 자신을 찾게 됩니다.

이렇게 깊은 밤, 기억으로부터의 부름 앞에 홀로 선

자신을 발견하게 됩니다. 그리고 자신과의 대화로 이어집니다. 지금 서 있는 자신의 참모습에 대해서 탐구합니다. 더 나은 삶의 시작을 위한 버팀목과 예언을 주고 있습니다.

개인적이고 보편적인 밤의 횡단이 우리를 찾고 있습니다. 우리가 어디에서 왔고 어디로 향해 가는지 알고자 합니다. 더 근원적인 질문으로 우리에게 묻고 있습니다. 우리가 회상하는 경험은 그 속에서 대답을 하고 있습니다.

우리에게 주어진 삶은 퍼즐 조각을 맞추는 것 같습니다. 처음에는 무질서하게 보이고, 모든 것은 헝클어져 보입니다. 하지만 하나씩 제 자리를 찾아가다 보면 언젠가 전체 모습을 볼 수 있을 것입니다. 완전한 한 개인으로 자신을 바라볼 수 있을 것입니다.

2. 밤과의 조우

깊은 밤이 찾아왔습니다. 세상은 온통 의식 아래 잠들어 있습니다. 침묵도 그와 동행합니다. 제 앞에는 밤의 색깔을 한 커피가 놓여 있습니다. 많은 시간 불면의 시간을 함께했습니다. 잠들어 있음과 깨어 있음이 동일한 것임을 알게 했습니다. 또한 반복된 습관으로 미세한 떨림을 주었습니다.

이것은 저에게 두 세계를 건너게 하는 화해의 몸짓을 주었습니다. 커피와 밤의 침묵은 저에게 깊은 흔적을 남기고 있었습니다. 검은 밤에 피어오르는 연기는 긴 어둠과 강을 건너게 해주는 저에게 다가온 스승입니다.

저는 그 제자가 되어 깊고 넓은 이 숲속으로 들어가게 되었습니다. 그것은 아주 오래전 잃어버렸던, 잊고 있던, 낡았지만 새로운 언어를 되찾는 기회를 주었습니다. 그렇게 저의 이야기는 거기에서 시작되고 있었습니다.

밤을 건너는 향기

밤의 한 가운데 선 지는 그 향기에 취해 있습니다. 아침 바다를 건너며 보았던 그 빛을 지금도 여전히 바라보고 있습니다. 저의 내면 깊이 살아 있는 것이 하루의 피곤함을 어루만지고 있습니다. 더 아래로 깊이 닻을 내리도록 도와주고 있습니다. 요란스럽게 저를 깨우거나 흔들진 않습니다. 관상기도를 가르쳐주던 수녀님의 간절함이 깊이 배어 있습니다. 저는 그 인도하심에 따라 더 깊은 곳에 숨어 있는 저를 발견하고 있습니다.

상처 입은 어린아이가 그곳에 웅크리고 앉아있습니다. 저는 손을 내밀어 그에게 악수를 청합니다. 잔 속에서 커피가 식어 갈수록 제 영혼은 더 따뜻해지고 있습니다.

입술에서 시작해서 온몸을 따라 퍼져나가고 있습니다. 생명의 기운이 더 살아 숨쉬도록 서로를 촉진하고 있습니다. 어둠이 더 깊을수록 더 강하고 부드럽게 속삭이고 있습니다.

저는 그 즐거운 소리에 기쁨의 노래를 경험합니다. 아늑하고 평안한 이 밤의 공기에 저는 어릴 적 노래를 부릅니다. 깊은 밤을 지나가던 그 노래가 다시 손짓하면서 찾아옵니다. 잊고 있었던 벗들의 찬가를 다시 함께 부릅니다. 이 밤이 모두 지나가도록 그리고 찬란한 아침이 밝아 올 때까지.

얼굴과 얼굴을 마주보며

이 밤 동그란 잔에 비친 저의 얼굴을 바라봅니다. 검고 둥근 물 아래서 위에 있는 저를 바라봅니다. 이와같이 거울을 저는 바라봅니다.

서로가 서로에게 하고 싶은 말이 아직 남아 있었습니다. 사랑한다는 말과 미안하다는 말이 더 많이 서로에게 필요했습니다. 우리는 서로에게 많은 사랑의 빚을 지고 있습니다. 용서하지 못하고 있는 얼굴이 있습니다.

창밖을 바라보고 있는 그들의 눈빛은 시간의 흐름을 잊었습니다. 이 밤이 지나가고 있지만 우리는 침묵으로 서로에게 말하고 있습니다. 우리는 서로가 필요하다고. 그리고 우리는 서로에게 위로를 원한다고.

잔을 들어 축복의 인사를 건넵니다. 함께 지나온 날들과 더불어 지나갈 날들을 위하여 축배의 잔을 높이 들어 올립니다. 이 밤은 이렇게 서로의 밤이 되고 서로의 거울이 되고 서로의 기쁨과 고통이 됩니다.

사랑하고 미워했던 지난날들을 떠오르게 합니다. 동시에 우리는 시간의 바다속으로 들어갑니다. 그리고 함께 그 어두운 바다를 건너가고 있습니다.

폭풍우와 태풍을 이겨내고 항해의 여정을 묵묵히 견디어 냅니다. 앞으로 나아갈 때와 잠시 쉬어야 할 때를 서로 알고 있습니다. 서로의 창을 통해 서로의 참모습을 바라보며 그 일을 해 나아갑니다.

커피 한잔이 전하는 소식들

이 시간은 커피와 함께합니다. 저는 저에게 대화를 신청합니다. 행운이 찾아오고 있습니다. 숨어있던 마음이 문을 열고 있습니다. 표면에 서서히 모습을 드러내고 있습니다. 저는 다만 그곳을 들여다봅니다. 저의 정신은 깨어나고 침묵에서 밤은 말을 겁니다. 작가의 목소리가 저에게 다양한 이야기를 해주고 있습니다. 저는 더 멀리 자아의 깊은 곳을 탐구할 것입니다.

일상에서 저를 벗어나게 합니다. 처음 가는 곳으로 여행을 떠나게 합니다. 몰랐던 자신을 만나는 시간이 찾아옵니다. 멀게만 느껴졌던 사물이 의미를 회복합니다. 삶이 나아가야 할 방향을 제대로 찾게 됩니다. 삶이 전하는 다양한 목소리를 듣게 됩니다. 수도자들의 깊은 언어를 배우게 됩니다. 작은 빛의 위대한 순간들을 만나게 됩니다.

깨어나는 것들

반복적인 깨움 속에서, 저는 어느새 잠에서 깨어나 다시금 세상과 마주합니다. 밖의 어둠과는 달리, 제 안의 정신은 커피 한 잔으로 인해 또렷합니다. 이 캄캄한 방 안에서, 핸드폰의 불빛은 잠시 동안 제 유일한 동반자가 됩니다. 페이스북을 훑어보며, 저는 깊은 밤의 침묵 속에서도 여전히 깨어 있음을 느낍니다.

밤의 소리는 저를 깨웁니다. 제 안의 고요한 안내자입니다. 낮에는 사라졌던 것들이 다시 나타나는 시간입니다. 고요함 속에서 더 잘 들리는 소리에 집중합니다. 들을 수 없었던 소리들이 들려옵니다. 창밖에서 바람 소리가 들려 옵니다. 가끔씩 먼 곳에서 동물 소리가 들립니다. 고요한 밤을 가르는 밤의 산책자들의 소리가 들립니다. 지붕 위를 살금살금 걷고 있는 고양이 발자국 소리도 들려 옵니다.

오래전에 멈추었던 교회 종소리도 들려 옵니다. 종을 담당하던 권사님 옆집에서 살 때의 기억도 떠오릅니다. 그 십은 낮에는 고요한 성당 같았습니다. 그러나 밤이 되면 종소리가 울리는 교회가 되는 것 같습니다. 평소에는 알 수 없었던 것을 폭풍의 위기가 다가오면 더 참모습을 볼 수 있습니다.

그 자리를 지키고 있다는 것만으로도 진정한 힘이라는 것을 알게 됩니다. 소음이 사라지면 더 본질에 가까워진다는 것을 알게 되었습니다. 있는 그대로의 참모습이 얼마나 간직하기 어렵다는 것을 깨닫게 됩니다. 진정 중요하고 소중한 것들이 어디에 있는지를 찾을 수 있게 합니다.

밤새 고통받는 아이를 지켜보고 잠 못 이루는 밤을 보냅니다. 그러나 회복된 아이는 그 밤의 시간을 기억하지 않습니다. 다만 자기 앞에 서 있는 사람만을 바라볼 뿐입니다. 귀를 기울이지 않아도 들려오는 그 소중함을 아직은 알지 못합니다. 오랜 밤이 지나가야 합니다. 지혜가 말을 걸어 올 때까지.

한 풍경이 다른 풍경으로 옮겨 가는 것이 얼마나 많은 시간이 필요한 일인지. 조용한 밤은 알고 있습니다. 알고 싶었던 책 속의 의미를 어둠 속에서 우리에게 말해줍니다. 협력하고 있는 수많은 깨어나는 것들이 우리를 깨우고 있습니다.

깊은 잠과 깨어남의 순간들

밤이 내려앉았습니다. 그리고 세상은 잠의 품으로 조용히 미끄러져 들어갑니다. 일상의 소음에서 벗어난 우리는 잠의 선율에 몸을 맡깁니다. 잠은 마치 부드러운 이불처럼 우리의 정신을 감싸 안고 있습니다. 한낮의 피로와 소란을 잊게 합니다.

바로 이 순간, 잠은 우리에게 평평하고 끝없는 세계로의 초대장을 건넵니다. 그곳에서 우리의 마음은 자유롭습니다. 그리고 흐르는 강물이 되어 고요히 흘러갑니다. 우리를 잠의 끝부분까지 다다르게 합니다. 그리고 꿈의 문턱을 자유롭게 넘나들게 합니다.

잠이 우리의 정신에 선사하는 휴식은 다만 정지가 아닙니다. 그 속에서 우리는 그날 겪은 일들을 되돌아봅니다. 하루에 다가왔던 감정의 파도를 정리하게 합니다. 그리고 다시 자신에게 하고 싶었던 꿈을 이야기합니다. 내면 아래 들려오는 소리에 귀 기울이게 합니다. 잠의 세계에서 우리는 때로는 해결되지 않은 문제들과 마수하게 됩니다. 때로는 오래된 기억의 복도를 거닐기도 합니다. 자신을 돌아보는 또다른 자신을 발견하게 됩니다. 이 과정은 우리에게 내일을 위한 새로운 힘과 지혜를 주기도 합니다. 영혼과 정신은 삶의 균형을 유지해 주고 있습니다.

그리고 새벽이 밝아오며, 깨어남의 순간이 찾아옵니다. 이때 우리의 정신은 잠에서 깨어나며 다시 활동의 세계로 발걸음을 내딛습니다. 깨어남은 우리에게 새로운 시작의 기회를 알립니다. 미완성 된 꿈을 이어갑니다. 그리고 새로운 도전을 맞이할 용기를 얻습니다. 이 순간, 차 한잔의 따스함처럼 우리의 정신은 점차 명료해지며, 하루를 준비합니다. 깨어남의 순간은 우리에게 삶의 무한한 가능성과 희망을 상기시킵니다. 우리의 마음을 충전시킵니다.

잠과 깨어남 사이의 이 리듬은 우리 삶의 소중한 리듬입니다. 이 사이클은 우리에게 자신을 돌아보고, 성장하며, 삶을 깊이 있게 살아가도록 도와줍니다. 잠은 우리에게 평온과 회복을, 깨어남은 새로운 시작과 활동을 선사합니다. 이 균형 속에서 우리는 삶의 여정을 더욱 풍요롭게 만들어가며, 매일을 새로운 마음으로 맞이할 수 있습니다.

그러므로, 잠의 깊은 휴식과 깨어남의 상쾌한 시작
사이에서 우리는 삶의 의미를 찾고, 자신의 정신을
단련시킵니다. 이 조용한 순환 속에서 우리는 진정한
자아를 발견하고, 삶의 본질에 다가갈 수 있습니다. 잠과
깨어남의 리듬은 우리에게 삶의 아름다움과 가치를
일깨워주며, 우리의 정신을 끊임없이 새롭게 하고
있습니다.

어린 시절과 투쟁

무모한 시절, 우리는 그때 세상을 대하는 용기가
가득했습니다. 어린 마음에는 두려움이란 없었습니다.
세상과의 투쟁은 우리 삶의 필연적인 일부로
받아들여졌습니다. 우리는 도전을 즐겼고, 어떤 장애물도
우리를 멈추게 할 수 없다고 믿었습니다. 그 시기는 마치
끝없는 모험의 연속이었고, 우리는 그 모험을 통해 자신의
한계를 시험하고, 자신의 존재를 세상에 알렸습니다.

그러나 시간이 흐르며, 우리는 세상과의 투쟁이 단순한
외부와의 싸움만이 이님을 깨닫았습니다. 그것은 또한
내면의 깊은 곳과의 대화, 자신의 약점과 마주하는

과정이기도 했습니다. 우리는 실패와 좌절을 경험하며 성장했고, 그 과정에서 우리는 더 넓은 시각으로 세상을 바라보게 되었습니다. 무모함 뒤에 숨겨진 두려움과 마주하고, 그것을 극복하는 여정은 우리에게 귀중한 교훈을 남겼습니다.

우리는 이제 세상과의 투쟁을 통해 얻은 지혜로 삶을 대합니다. 우리는 더 이상 세상을 정복하려 하지 않고, 세상 속에 있는 우리 자신의 길을 찾으려 합니다. 우리는 우리의 목소리를 통해 세상에 기여하고자 하며, 우리의 삶을 통해 더 큰 의미를 찾으려 합니다. 우리의 무모한 시절은 우리에게 세상을 보는 새로운 눈을 주었고, 우리는 그 눈으로 세상과 소통하고, 우리의 자리를 찾아갑니다.

우리의 삶은 무모한 시절의 열정과 세상과의 투쟁을 통해 얻은 지혜가 어우러진 여정입니다. 이 여정은 우리를 더욱더 강하게 만들었고, 우리의 삶에 깊이와 의미를 더했습니다. 우리는 이제 세상과의 또 다른 투쟁을 통해 우리 자신을 더 잘 이해하고, 우리의 삶을 더욱 풍요롭게 만들 수 있는 지혜를 갖게 되었습니다.

그러니 이제, 우리는 세상과의 투쟁을 두려워하지

않습니다. 우리는 그 투쟁을 통해 우리 자신을 발견하고, 우리의 삶을 더욱 의미 있게 만드는 데 필요한 힘을 찾습니다. 우리의 무모한 시절은 우리에게 용기와 꿈을 주었고, 세상과의 투쟁은 우리에게 삶의 지혜와 깊이를 주었습니다.

이제 우리는 그 모든 것을 바탕으로, 우리만의 길을 걸어갑니다. 우리의 삶을 진정으로 사랑하는 법을 배웁니다. 우리는 지금 이 순간, 그 어느 때보다도 더 강하고, 더 현명하며, 더 깊이 있는 존재입니다. 우리의 여정은 무모한 시절의 열정에서 출발하여 세상과의 투쟁을 거치며 얻은 지혜로 이어집니다. 이 여정 속에서 우리는 자신만의 가치를 발견하고, 세상 속에서 우리의 역할을 찾아냅니다.

우리가 겪은 모든 경험은 우리를 더욱 풍부한 인간으로 만들었습니다. 우리의 실수와 성공, 두려움과 용기, 좌절과 희망은 모두 우리 삶의 소중한 부분이 되었습니다. 이 모든 것이 우리의 정체성을 구성하며, 우리가 앞으로 나아가는 데 필요한 힘을 줍니다. 우리는 이제 어린 시절의 열정과 세상과의 투쟁을 통해 얻은 지혜를 바탕으로, 삶의 모든 순간을 진정으로 소중히 여기며 살아갑니다.

세상과의 투쟁 속에서 우리는 인생의 복잡함과 아름다움을 모두 경험합니다. 이 과정에서 우리는 삶의 진정한 의미를 탐색하고, 우리의 존재 가치를 깊이 이해하게 됩니다. 우리는 더 이상 세상을 단순히 정복하려는 대상으로 보지 않습니다. 대신, 우리는 세상과 조화를 이루며, 우리의 삶을 통해 세상에 긍정적인 영향을 미치려 합니다. 우리는 세상과의 관계 속에서 우리 자신을 발견하고, 우리의 삶을 더욱 의미 있게 만드는 방법을 찾아냅니다.

결국, 우리의 어린 시절과 세상과의 투쟁은 우리가 성장하고 발전하는 데 필수적인 과정입니다. 이 여정을 통해 우리는 삶의 진정한 가치를 발견하고, 우리 자신과 세상과의 관계를 더욱 깊이 이해하게 됩니다. 우리는 이제 더 넓은 시각으로 세상을 바라보며, 우리의 삶을 더욱 풍요롭고 의미 있게 만들어갑니다. 우리의 여정은 계속되며, 그 속에서 배우고, 성장하며, 자신의 삶을 진정으로 사랑하는 방법을 찾아갑니다.

책 속에서 펼쳐지는 진솔한 이야기들은 제 삶의 깊이를

더해줍니다. 이야기 속 인물이 겪는 투쟁과 그들이 걸어온 삶의 길은, 저에게도 의미를 던져줍니다. 그 시절의 흔적 속에서 저는, 세상을 향한 소소한 저의 사랑을 발견합니다.

아직 닿지 않는 숲

아침의 첫 빛이 창문을 스치며, 일상 속 작은 기쁨들이 조용히 문을 두드립니다. 커피 향기 속에서 피어오르는 연기처럼, 사랑하고 싶은 소소한 것들은 우리의 마음속 깊은 곳을 자극합니다. 이들은 우리에게 일상의 소중함과 삶의 아름다움을 상기시키며, 때로는 작은 웃음과 때로는 깊은 사색을 선물합니다.

그리고 어딘가에, 아직 우리의 발걸음이 닿지 않는 숲이 있습니다. 그 숲은 상상 속에만 존재하는, 미지의 세계에 초대장입니다. 그곳에는 우리가 아직 마주치지 못한 이야기들과 눈부신 경험들이 우리를 기다리고 있을 것입니다. 숲의 그늘 아래, 시간이 멈춘 듯한 고요함 속에서, 우리는 자신만의 속도로 그 숲을 탐험할 수 있습니다.

사랑하고 싶은 소소한 것들은 우리의 일상을 특별하게

만듭니다. 차가운 아침 공기 속에서 느껴지는 따스함, 잠에서 깨어나 처음으로 마시는 물 한 모금의 상쾌함, 저녁노을이 하늘을 붉게 물들이는 순간의 장엄함. 이 모든 것들은 우리의 삶을 풍요롭게 하며, 우리로 하여금 삶의 작은 순간들에 깊은 인상들을 남깁니다.

한편, 아직 걷지 못한 숲은 우리의 꿈과 호기심을 자극합니다. 우리는 그 숲속에서 무엇을 발견하게 될까요? 어떤 모험이 우리를 기다리고 있을까요? 숲으로 가는 길은 우리에게 무한한 가능성을 상상하게 하고, 우리의 삶에 새로운 영감을 불어넣어 줍니다. 그 숲을 향한 산책은 우리에게 삶의 또 다른 면모를 탐색할 기회를 제공하며, 우리의 존재를 더욱 깊이 이해하도록 돕습니다.

이처럼, 사랑하고 싶은 소소한 것들과 아직 걷지 못한 숲에 대한 이야기는 우리의 삶을 더욱 풍요롭고 의미 있게 만듭니다. 이들은 우리에게 삶의 다양한 순간들을 소중히 여길 것을 가르치며, 우리의 마음을 따뜻하게 합니다. 우리는 이 작은 사랑과 미지의 숲을 향한 꿈을 통해, 삶의 진정한 아름다움을 발견합니다. 자신의 삶을 더욱 사랑하게 됩니다. 그리하여, 우리의 일상은 이 소소한 사랑과 미지의 숲으로 인해 더욱 특별해지며, 우리는 매 순간을 진심으로 즐길 수 있게 됩니다.

저는 아직 걸어보지 못한 숲속을 상상하며, 어디로 가야 할지, 얼마나 걸어야 할지를 고민하지 않습니다. 숨겨진 사물들이 서서히 뚜렷해질 때, 저는 잠시 멈춰서 돌아봅니다. 무작정 걸었던 수많은 시간들, 그리고 그 길에서 마주쳤던 것들을 다시 기억합니다.

아버지의 숨결

우리가 품고 있는 기억의 서랍에서 가장 따뜻한 숨결은 아버지의 것이었습니다. 그 숨결은 겨울 아침 창가에 내린 서리처럼 조용히, 하지만 확실히 우리의 일상속에 자리 잡고 있습니다. 아버지의 미소는, 어린 시절 우리가 세상을 바라보던 창문 같았습니다. 그 창문 너머로 보이는 세상은 때로는 두렵고, 때로는 신비로웠지만, 아버지의 미소가 있었기에 우리는 더 넓은 세상으로 발을 내디딜 수 있는 용기를 가졌습니다.

아버지의 따뜻한 숨결은 우리가 처음으로 마주한 생명의 기운이었습니다. 아버지가 우리를 품에 안을 때, 우리는 세상 어디에도 없을 듯한 평안함을 느꼈습니다. 그 숨결은 겨울밤 우리를 감싸 안던 이불처럼, 삶의 추위 속에서도 우리의 마음을 따뜻하게 해주었습니다. 아버지의 숨결과 미소 속에서 우리는 사랑이 무엇인지, 보호가 어떤 것인지를 배웠고, 그것들이 우리 삶의 중요한 초석이 되었습니다.

아버지의 미소를 통해 건네지는 옛 기억들은, 시간이 흘러도 변치 않는 우리 삶의 보물입니다. 그 기억들은 우리가 성장해가면서 마주하는 어려움과 도전 속에서도, 우리에게 힘과 위안을 주는 빛과 같습니다. 아버지의 따뜻한 숨결은 우리가 길을 잃었을 때, 다시 방향을 찾을 수 있게 도와주는 나침반과도 같습니다.

아버지로부터 받은 사랑의 기억은 우리의 마음 깊은 곳에 자리 잡고, 우리가 다른 이들과의 관계를 형성해가는 데 중요한 역할을 합니다. 그 사랑은 우리에게 다른 사람을 이해하고, 공감하며, 진정으로 사랑하는 법을 가르쳐줍니다. 아버지의 미소와 숨결에서 배운 사랑의 가치는 우리 삶의 모든 관계에서 긍정적인 영향을 미치며, 우리로 하여금 더 넓은 세상으로 나아가는 길을 밝혀줍니다.

이제 우리는 아버지가 우리에게 보여준 사랑과 따뜻함을 다음 세대에게 전달하는 역할을 맡게 되었습니다. 아버지의 미소와 숨결 속에서 우리가 배운 교훈과 사랑은, 우리가 타인에게 베푸는 사랑의 방식에 깊이 스며들어 있습니다. 이렇게 우리는 아버지로부터 받은 사랑의 불꽃을 이어받아, 그 빛을 세상에 퍼뜨리며, 우리의 삶을 더욱 의미 있고 풍요롭게 만듭니다.

새벽이 다가옵니다. 저는 제가 걸어온 길을 되돌아봅니다. 저를 향해 미소를 지어주던 수많은 이들의 얼굴은, 마음속에서 따스한 위로가 됩니다. 이렇게 밤은 서서히 저에게 다가와, 평화로운 순간을 선사하고 있습니다. 하늘에서 내려오는 아버지의 숨결 속에서 저는, 오늘도 평안을 찾고 있습니다.

3. 고요한 밤, 속삭이는 시간

아주 조용한 목요일 밤, 고요함 속에서 규칙적으로 들리는 시계 소리가 열린 방 안을 채웁니다. 제 손에서 미끄러지듯 움직이는 연필이 쓰윽쓰윽 소리를 내며 시간의 흐름을 가로질러 글자들을 이어 나가고 있습니다. 각 낱말은 순식간에 하나의 선으로 이어져 그들만의 이야기를 만들어 냅니다. 이 순간, 꼼지락대는 발가락들이 서로를 부드럽게 비비며 저의 작은 움직임에 동참합니다.

고요한 이 시간, 세상은 아직 잠에 빠져 있었습니다. 이른 아침의 고요함 속에서, 저는 창가에 앉아 세상이 서서히 깨어나는 모습을 바라보았습니다. 그 순간, 고요한 세상을 건너는 소리들이 하나둘 귀에 들어왔습니다.

새벽의 정적을 가르며 들려오는 새들의 지저귐, 먼 곳에서부터 서서히 다가오는 바람의 속삭임. 이 소리들은 세상의 모든 생명이 하나로 연결되어 있음을 알려주는 듯했습니다.

그 고요함 속에서, 저는 새로운 시작의 가능성을 느꼈습니다. 마치 미지의 세계로 향하는 문이 열리는 듯한 기분이었습니다. 이때, 마음속에 새로 그어지는 선들이 생겨났습니다. 새로운 아이디어, 새로운 계획, 새로운 꿈들이 마음속 지도에 그려졌습니다. 이 선들은 저의 삶에 새로운 방향과 의미를 부여하며, 앞으로 나아가야 할 길을 제시했습니다.

이런 순간들은 삶이 고요함과 변화의 순환 속에서 얼마나 아름다운지를 일깨워줍니다. 고요한 세상을 건너는 소리는 마음의 평화를 가져다주며, 새로 그어지는 선들은 삶에 활력과 희망을 불어넣습니다. 이 둘 사이의 균형은 우리가 세상과 조화롭게 살아가는 법을 가르쳐줍니다.

저는 이 고요함 속에서 나만의 목소리를 듣고, 내면의 세계와 깊이 연결되는 것을 배웁니다. 그리고 새로 그어지는 선들을 따라가며, 저는 나만의 길을 탐색하고, 삶의 무한한 가능성을 탐구합니다. 이 여행은 때로는 불확실하고 희미할 수 있습니다. 그러나 그 속에서 우리는 진정한 자신을 발견하고, 성장의 기쁨을 경험하기도 합니다.

고요한 세상을 건너는 소리와 새로 그어지는 중심 선으로, 저는 삶의 의미를 찾아가는 여행을 계속합니다. 이 여정은 저를 둘러싼 세상과 더 깊이 연결되게 하며, 매 순간을 더욱 소중하게 만들어줍니다. 고요함과 변화라는 이 두 가지의 가능성에서 저는 삶의 진정한 아름다움을 발견하고, 제가 걸어가야 할 길을 한 걸음씩 나아갑니다.

고요한 오후

그 오후는 유난히 조용했습니다. 창밖으로 내다보이는 세상은 고요의 바다에 잠겨 있습니다. 소리 하나 내고 있지 않습니다. 저는 방 안의 작은 책상에 앉았습니다. 오래된 책 한 권을 펼칩니다. 각 페이지는 부드럽습니다. 저의 시간을 멈추게 하는 책갈피가 끼워져 있습니다.

그때, 방문객의 발걸음 소리가 들려왔습니다. 이 소리는 이 고요한 오후에 살며시 더해진, 또 다른 선율처럼 느껴졌습니다. 그 발걸음 소리는 점점 가까워져 오며, 저의 귀를 사로잡았습니다.

저는 책에서 눈을 들어 창가로 시선을 옮겼습니다. 그 순간, 저의 마음도 그 소리를 따라 밖으로 나서려는 듯했습니다.

책 속에 끼워진 책갈피는 멈추어 있는 저의 생각을 변호하는 것 같습니다. 각 장은 저의 현재를 표시하는 동시에, 책 속의 세계로 다시 돌아갈 약속이기도 했습니다. 하지만 그 순간, 멀리서 들려오는 낯선 이방인의 소리는 또 다른 가능성에 대해서 선포하는 것만 같습니다.

낯선 방문객의 소리

방문객의 소리는 고요한 오후를 건너며 저에게 다가왔습니다. 저는 그 소리에 이끌려 일어나 문 쪽으로 걸음을 옮겼습니다. 문을 열자, 따스한 햇살과 새로운 공기가 방 안으로 쏟아져 들어왔습니다. 방문객이 가져온 이야기는 새로운 세계의 문을 열어주었습니다. 저는 그 순간을 맞이할 준비가 되어 있었습니다.

그렇게 멀리서 들려온 방문객의 소리와 멈추어 선 저의 책갈피는, 고요한 세상 속에서 새로운 시작의 가능성을 상기시켰습니다. 책갈피 사이에서 잠시 멈춘 저의 시간은 다시 흐르기 시작했고, 저는 새로운 이야기와 만남 속으로 걸어 들어갔습니다. 이 고요함과 만남의 교차점에서, 저는 삶이 지닌 무수한 가능성과 아름다움을 다시 한번 깨닫게 되었습니다.

그날 이후, 저는 그 소리에 대해서 그리고 책갈피에 대한 소중한 마음을 잊지 않았습니다. 저에게 있어서 고요함 속에 있는 그것들은 변화와 시작을 가능하게 했습니다. 그렇듯이 우리의 삶도 새로운 이야기로 가득 채워질 것입니다.

문 닫는 소리가 고요함을 깨우고 있습니다. 그리고 아래층에서는 새로운 움직임이 느껴집니다. 그때 저의 시선을 사로잡은 것은 나란히 있는 책 두 권입니다. 150페이지에서 멈춘 흰 책갈피가 눈에 보였습니다. 그리고 연세대학교 로고가 적힌 검은색의 연필과 인도네시아 산이라는 글자가 적힌 노란색 연필이 있었습니다. 저는 독일 산의 파란색 연필로 글을 씁니다. 다양한 개성을 가지고 있는 사람들이 춤을 추는 것처럼, 연필들은 서로 다른 선으로 길을 만들고 있었습니다.

작고 소소한 아름다운 것들

아침이면 창을 두드리는 햇살 아래에서, 작고 소소한 것들의 아름다움이 조용히 깨어납니다. 커피잔에서 피어오르는 따스한 증기, 책상 위에 흩어진 연필의 그림자, 그리고 부엌 창문을 통해 들어오는 새들의 지저귐… 이 모든 것들이 일상의 평범함 속에서도 찾아낼 수 있는 작은 기적들입니다. 우리가 세상을 바라보는 방식을 바꿔 놓는, 그러나 종종 간과되기 쉬운 순간들입니다.

그리고 그런 순간들 사이에서, 또 다른 아름다움이

조용히 우리를 바라봅니다. 바로 조용하고 친밀한 눈빛입니다. 사랑하는 이와 나누는 눈빛 속에서는 말로 표현할 수 없는 깊은 애정과 이해가 오가곤 합니다. 한때의 눈길이 때론 긴 대화보다 더 많은 것을 전달할 때가 있습니다. 서로의 눈을 바라보며 공유하는 그 침묵의 순간은 마음을 더욱 가깝게 만들고, 우리 사이의 깊은 연대감을 확인시켜 줍니다.

이렇게 작고 소소한 것들과 조용하고 친밀한 눈빛 속에서, 우리는 일상의 진정한 아름다움을 발견하게 됩니다. 이러한 순간들은 우리에게 삶이란 결국 크고 화려한 사건들의 연속이 아니라, 이런 작은 순간들로 이루어진 것임을 깨닫게 합니다. 그리고 그 속에서 우리는 진정으로 소중한 것이 무엇인지, 우리가 어떻게 살고 싶은지를 되돌아보게 됩니다.

저는 이 작고 소소한 것들의 아름다움과 조용하고 친밀한 눈빛을 통해, 삶의 가장 순수하고 본질적인 부분에 다가설 수 있음을 느낍니다. 이것들은 우리의 마음을 풍요롭게 하고, 우리의 영혼을 따뜻하게 만듭니다. 이 소중한 순간들을 통해 우리는 자신과 세상을 더 사랑하게 되고, 삶의 모든 순간이 주는 선물에 감사하게 됩니다.

그러므로 저는 오늘도 조용히 아침의 햇살 아래에서, 아름다운 작은 것들을 찾고, 사랑스러운 눈빛 속에서 우리 사이의 친밀함을 느끼며, 삶의 모든 순간을 소중하게 여깁니다. 이 작고 소소한 것들과 고요하고 친밀한 눈빛 속에서, 저는 삶의 진정한 가치를 발견하고, 더욱 의미 있게 하루를 살아가려 합니다.

작은 그러나 소중한

작은 것들의 소중함을 일깨우는 이 밤, 검은색과 빨간색 지우개가 선사하는 다른 촉감처럼, 시간은 눈에 보이지 않는 가치를 속삭입니다. 밤하늘을 수놓는 별들처럼 반짝이는 이 순간들은 살아 있음의 고귀함을 보게 합니다. 행복의 언어가 이 조용하고 친밀한 공간을 가득 채우면서 넘쳐흐릅니다.

잊혀진 것들을 찾아 헤매는 이 시간, 고정된 듯한 거대한 틀을 벗어나 새로운 세상을 향한 강한 열망이 마음속에서 꽃처럼 피어오릅니다. 겨울 한복판에 내일도 눈이 온다는 소식이 들려오고, 서서히 사라지는 사소한 것들 사이에서 새로운 소소한 기쁨이 다가옵니다. 밤이 깊어질수록 숨겨진 것들이 더욱 선명해지면, 이 소중한 순간들을 저는 마음 깊이 간직합니다.

바닥에서 올라오는 따뜻한 온기가 저를 감싸며, 차가운 냉기가 점차 멀어져 갑니다. 밖에서는 강아지의 짖는 소리가 가끔 들리고, 마지막 몇 단어는 흐릿하게 기억 속에 남아 있습니다. 잊혀져야 할 것은 다시 잊혀지고, 기억해야 할 새로운 아침이 기다리고 있습니다.

밤의 깊은 침묵 속에서, 저는 잠시 생각에 잠깁니다. 제가 살아가는 이 순간들, 각기 다른 색깔과 모양을 가진 연필처럼, 저의 삶 또한 다채롭고 복잡하다는 것을 깨닫습니다. 각 연필이 그리는 선은 저의 생각과 감정, 경험들을 대변합니다. 시계 소리가 지속적으로 울려 퍼지는 가운데, 저는 시간이 가져다주는 깨달음과 변화의 가치를 느낍니다.

이 고요한 밤, 저는 글을 통해 삶의 소소한 행복과 평온을 발견합니다. 창밖으로 보이는 별들은 마치 저의 내면을 비추는 듯합니다. 별들의 반짝임은 제가 걸어온 길과 앞으로 나아갈 길을 밝혀줍니다. 이 별빛 아래서 저는,

과거와 현재, 그리고 미래가 어우러지는 순간을 체험하고 있습니다.

내일의 씨앗

내일이면 또다시 눈이 내릴 것이라는 예보가 들려오고, 그 소식은 마음속에 새로운 기대감을 불러일으킵니다. 겨울의 눈이 내리는 것처럼, 삶도 때로는 조용히 변화의 씨앗을 뿌리고 있습니다. 눈이 내리는 풍경은 잊혀진 추억들을 되살리고, 새로운 시작의 가능성을 암시하고 있습니다. 저는 이 밤, 나만의 작은 세계에서 일어나는 일들을 소중히 여깁니다. 닭 우는 소리, 창밖의 눈부신 별빛, 그리고 방 안의 따뜻함, 이 모든 것이 제 삶의 일부가 됩니다. 이 소소한 순간들은 제가 어디에 있든 항상 저를 따뜻하게 해주고 있습니다. 맞이할 준비를 다 합니다.

밤이 깊어갈수록 저는, 더 많은 것을 발견하고, 더 많은 것을 느낍니다. 이 고요한 밤은 저에게 삶의 의미를 되찾게 하고, 희망찬 내일을 꿈꾸게 합니다. 이렇게, 저는 밤의 고요함 속에서 소소한 행복을 찾고, 삶의 아름다움을 느끼며, 새로운 날을 맞이할 준비를 합니다.

4. 밤의 속삭임

어두운 밤, 잠들지 못하는 저는 창가에 조용히 앉아 밤의 열차를 기다립니다. 이 시간만큼은 세상의 모든 소음이 멀어지고, 나만의 고요한 순간이 펼쳐집니다. 밖은 완전한 어둠이지만, 그 어둠 속에서도 열차의 도착을 알리는 불빛이 점점 다가옵니다. 마음은 조금씩 설렘으로 가득 찹니다.

잠들지 못하는 밤은 때로는 외로움과 고민으로 가득 차 있기도 합니다. 그러나 그 속에서도 밤의 열차를 기다리는 것은 마치 다른 세상으로의 여행을 준비하는 것 같은 기분을 줍니다.

열차는 밤의 정적을 깨고, 어둠을 관통해 옵니다. 그 소리는 밤의 침묵 속에서 특별한 음악처럼 들립니다. 열차가 다가올 때마다 저는, 제 삶의 여정을 되돌아보고, 앞으로 나아갈 방향을 상상해 봅니다.

밤의 열차를 기다리는 것은, 무언가를 기다리는 것의 상징과도 같습니다. 그것은 새로운 시작을 향한 기대일 수도 있고, 변화를 향한 갈망일 수도 있습니다. 열차가 제 삶에 들어와 새로운 이야기를 가져다주길 바라며, 저는

잠시나마 현실의 무게에서 벗어나 꿈꾸는 시간을
갖습니다.

열차는 결국 도착하고, 그 순간 모든 것이 가능해
보입니다. 열차의 도착은 저에게 새로운 기회와 가능성을
상징하며, 어두웠던 밤 속에서도 희망의 빛을 발견하게
합니다. 열차가 지나간 후, 남겨진 것은 다시 찾아온
고요함과 함께, 내면의 힘과 용기입니다. 저는 이제 어둠
속에서도 제 길을 찾을 수 있는 용기를 얻었고, 밤의 열차가
가져다준 꿈과 희망을 가슴에 품고 새로운 날을 맞이할
준비가 되었습니다.

어두운 밤, 잠들지 못하고 밤의 열차를 기다리는 저는, 그
자체로 하나의 여정입니다. 이 여정은 때로는 고독하고,
때로는 희망차며, 그 속에서 저는 나 자신을 발견하고, 제
삶의 의미를 다시금 깨닫게 됩니다. 밤의 열차는 저에게
끝없는 여정 속에서 변함없이 나아갈 힘을 주며, 어떠한
어둠 속에서도 희망의 빛을 잃지 않게 합니다.

토요일의 밤은 깊어만 갑니다. 이 시간에도 눈을 감지
못하는 저는, 어두운 밤하늘 아래 혼자서 생각에 잠깁니다.
깊은 밤의 열차가 제게 손짓하지만, 저는 그 호출을

거절하며 현실에 머물러 있습니다. 이 모든 것은 어떤 계획이나 의지 때문이 아닙니다. 오히려 저는 저 자신을 찾아가는 여정 속에 있습니다.

홀로 찾아 나선 세계

어느 겨울날 홀로, 잊혀진 세계를 찾아가는 여정에 나섰습니다. 어둠이 내려앉은 고요한 밤, 세상의 모든 소음이 잠잠해진 시간에 발걸음을 옮겼습니다. 그 여정은 마치 오래된 책의 한 페이지를 넘기듯, 조심스럽고 호기심 가득한 마음으로 시작되었습니다. 이 잊혀진 세계는 어디에 있는 것일까요? 혹시 매일 지나치는 골목길 끝의 오래된 정원일까요, 아니면 먼지 쌓인 서재 속의 낡은 지도 속에 숨겨진 곳일까요?

그곳에 이르기까지의 길은 익숙한 듯하면서도 낯설었습니다. 발아래 쌓인 눈이 부드럽게 내는 소리만이, 이 밤의 침묵을 깨뜨렸습니다. 겨울의 찬바람이 볼을 스치며 지나갈 때마다, 마음 한편이 설렘으로 가득 차올랐습니다. 이 고요함 속에서 저는, 마치 세상과 분리되는 듯한, 시간을 거스르는 여행자가 된 듯합니다.

잊혀진 세계에 도달했을 때, 저를 맞이한 것은 오래된 나무들과 고요한 정적뿐이었습니다. 이곳의 모든 것은 시간이 멈춘 듯한 평화로움을 간직하고 있었습니다. 저는 그 평화 속에서 잠시 숨을 고르며 세상의 모든 번잡함으로부터 멀어졌습니다. 잊혀진 세계의 공기는 묵직하면서도 상쾌했고, 그 속에서 저는 오랜만에 내면의 목소리에 집중할 수 있었습니다.

이곳에서의 시간은 단순한 쉼을 넘어, 자아를 성찰하는 귀중한 순간이었습니다. 나무들 사이로 비치는 달빛 아래, 저는 잊고 있었던 꿈과 소망을 되새겼습니다. 마음속 깊은 곳에 숨겨진 나만의 이야기가 서서히 깨어나기 시작했고, 저는 그 이야기를 하나하나 되짚어보며, 잃어버렸던 나 자신을 되찾았습니다.

홀로 찾아간 이 잊혀진 세계에서의 경험은, 돌아오는 길에 저에게 새로운 희망의 빛을 안겨주었습니다. 어둠 속을 걸으며, 저는 이제 조금 더 강해졌다는 것을 느꼈습니다. 이 여정을 통해 얻은 평화와 성찰의 시간은, 앞으로의 삶을 살아가는 데 있어 굳건한 빛이 되어줄 것입니다. 잊혀진 세계에서 돌아온 저는 이제, 일상의 소음

속에서도 내면의 평화를 잃지 않고, 삶의 진정한
아름다움을 찾아가는 여정을 계속해 나갈 것입니다.

밤이 깊어가고, 방 안은 고요함으로 가득 찼습니다.
창밖의 세상은 잠에 빠져 있고, 나만이 이 따스한 이불
속에서 눈을 뜨고 있습니다. 이 시간, 이 공간은 나만의
것이며, 여기에서 저는 혼자만의 역사를 써 내려갑니다.
펜을 손에 쥐고, 종이 위에 글자를 옮기기 시작하면, 그
순간부터 저는 시간과 현실을 초월한 여행자가 됩니다.

이불 속에서 글쓰기

이불 속에서의 글쓰기는 저에게 매우 개인적이고 신성한
행위입니다. 여기서 저는 내면의 소리에 귀 기울이며,
나만의 이야기를 탐험합니다. 이 고요한 밤에, 저의 생각과
감정, 경험들은 종이 위에서 새로운 생명을 얻습니다.
이러한 순간들은 저의 과거를 회고하고, 현재를 성찰하며,
미래에 대한 꿈을 펼쳐보이는 시간이 됩니다.

나만의 역사를 쓰는 것은 때로 쓸쓸한 일이기도 합니다.
과거의 상처와 현재의 고민이 종이 위에서 저를 마주하기
때문입니다. 하지만 이러한 과정을 통해 저는 진정으로 나

자신을 마주하고, 내면의 힘을 발견합니다. 이불 속에서 흘리는 땀방울과 눈물은 저를 더욱 강하게 만들고, 삶의 진정한 의미를 깨닫게 합니다.

혼자만의 역사를 쓰는 이 시간은 저에게 깊은 위안과 통찰을 제공합니다. 저의 이야기들은 나만의 언어와 문체로 기록되며, 이는 시간이 지나도 변치 않는 나만의 가치를 지닙니다. 이 글들은 저의 삶의 흔적이자, 저의 정체성의 일부가 됩니다. 이 고요한 밤, 이 따스한 이불 속에서 저는 나만의 역사를 쓰며, 나 자신과 깊은 대화를 나눕니다.

이불 속에서의 글쓰기는 저에게 삶의 소중한 순간들을 되새기고, 제 존재의 의미를 탐색할 기회를 줍니다. 이 순간들은 저의 삶을 더욱 풍요롭고 의미 있게 만들며, 나만의 역사를 통해 저의 길을 찾는 데 도움을 줍니다. 나만의 역사를 쓰며 보낸 밤은, 저에게 깊은 만족과 평화를 선사하며, 이는 제 삶의 빛나는 순간으로 남습니다.

여기, 이 순간, 저는 오롯이 혼자입니다. 주변 사람들은 각자의 삶에 바쁘게 몰두하고 있습니다. 그들은 자신들의 삶과 가족을 돌보느라 바쁩니다. 저는 그들의 삶을

존중하며 때론 위로를 건넵니다. 하지만 저는 여전히 제
자리에, 어린아이처럼 혼자 남아 있습니다. 이곳은 제
숨소리와 글쓰기의 공간입니다. 오늘 쓴 글이 기억에서
멀어져도, 그 흔적은 제 마음 한구석에 남아 있습니다.

이 밤, 저는 이불을 어깨에 둘러메고 생각에 잠깁니다.
어떤 이들은 경쟁을 통해 밤을 깨우며 시간을 보냅니다.
저는 다른 시간을 보내고 있습니다. 저는 솔직한 마음을
글로 옮기는 것에 집중합니다. 그것은 쉽지 않은 일이지만,
시간이 흘러 모든 것이 사라진다 해도, 제 글은 남을
것입니다.

내리는 눈과 마음 정리

내리는 눈을 바라보며 생각과 감정을 정리하는 것은,
마음의 창을 여는 듯한 과정입니다. 눈이 하늘에서 천천히
내려와 세상을 새하얗게 덮는 모습은, 마음속 혼란과
잡다한 생각들을 잠재우고, 내면을 깊이 들여다볼 수 있는
평온한 시간을 마련해 줍니다.

눈 내리는 창가에 있어, 소리가 멀어진 듯한 고요함
속에서, 우리는 자연스럽게 내면의 세계로 눈을 돌리게

됩니다. 하얀 눈이 내리는 것을 바라보는 것만으로도, 마음이 점점 진정되고, 생각이 정리되기 시작합니다. 이 순간, 우리는 일상에서 느끼는 스트레스와 압박감으로부터 잠시나마 벗어나, 자신을 돌아보는 시간을 갖게 됩니다.

내리는 눈처럼, 우리의 생각과 감정도 조용히 내려앉기 시작합니다. 마음속에 쌓였던 무수히 많은 생각들이 하나둘 정리되며, 감정의 파도도 잦아들기 시작합니다. 이 과정에서 우리는 자신의 내면에 귀 기울이며, 진정으로 중요한 것이 무엇인지, 무엇에 집중해야 하는지를 다시금 깨닫게 됩니다.

눈 내리는 풍경은 생각을 정리하게 합니다. 그리고 상처 입은 감정을 치유합니다. 눈이 모든 것을 하얗게 덮어버리듯, 우리의 마음도 잠시나마 평안을 찾게 되며, 상처받은 감정들이 치유의 과정을 거치게 됩니다. 이불 속에서 눈을 바라보며 보내는 시간은 우리에게 마음의 안식을 제공하며, 새로운 시작을 위한 힘을 충전하는 기회가 됩니다.

내리는 눈을 바라보는 것만으로 생각과 감정을 정리합니다. 우리 삶의 소중한 순간을 허락합니다. 이 순간들은 우리에게 자기 성찰의 기회를 제공합니다. 우리의 마음을 더욱 풍부하고 깊게 만들어줍니다. 눈 내리는 창가에서의 정리된 생각과 감정은 자신을 더 잘 이해할 수 있게 합니다. 그리고 삶을 더 의미 있게 살아가게 합니다. 이러한 과정을 통해 우리는 내면의 평화를 찾습니다. 또한 앞으로 나아가는 데 필요한 용기와 지혜를 얻게 됩니다.

어느새 눈이 다시 내리기 시작합니다. 그 눈은 아무도 멈추거나 변형시킬 수 없는 자연의 색을 띕니다. 저는 그 자연스러운 아름다움에 잠시 머무릅니다. 비록 이 생각들이 계속 지속되지 않을지라도, 지금 이 순간, 저는 이곳에 있습니다. 이곳에서 제 감정과 생각을 마음껏 그리고 있습니다.

흐르는 생각과 속삭임

밤이 깊었습니다. 창밖을 가득 메운 어둠 속에서, 마음의 강물은 조용히 흐릅니다. 이 시간, 저는 흐르는 생각들과 속삭이는 구절들이 섬세하게 교차하고 있습니다. 이 고요한 순간, 내면의 소리가 울리며, 그 마음은 유연하게 흐릅니다. 흐르는 생각들은 제 마음을 흔들어 놓습니다. 순간순간 물결이 되어 찰랑거리고 있습니다.

이 생각들은 때로는 과거를 회상하기도, 미래를 꿈꾸기도 합니다. 제 마음의 풍경들을 변화시킵니다. 들려오는 구절들은 풍경에 새로운 색깔을 입혀줍니다. 그것은 오래전 읽었던 책의 한 문장이기도 하고, 길가에서 들었던 누군가의 말이기도 합니다. 하지만 그 순간, 그 구절들은 저의 현재와 완벽하게 어우러져 마음을 울립니다.

이 속삭임은 마음의 등대와 같습니다. 저를 현재에 머물게 하며, 제 삶의 의미와 방향을 되새기게 합니다. 이 구절들이 때로는 따뜻한 위로가 되어 줍니다. 마치 오랜 친구가 부드럽게 어깨를 두드려주는 것처럼, 그 속삭임은 저에게 평안을 선사합니다.

저는 이 흐르는 생각들과 속삭이는 구절들에 자신을 맡깁니다. 이 순간, 저의 마음은 생각의 강물에 몸을 싣고, 구절의 바람에 돛을 펼칩니다. 여기서 저는 나만의 이야기를 직조하며, 제 삶의 지도를 그려냅니다. 이 지도는 과거의 흔적과 미래의 꿈이 어우러진, 나만의 역사입니다.

이 밤은, 흐르는 생각들과 속삭이는 구절들과 함께하는
이 시간은 저에게 큰 선물입니다. 이 시간은 제가 진정으로
누구인지, 제가 어디로 가고 있는지를 탐색하는 여정이
됩니다. 이 고요한 밤, 저는 제 마음의 강을 따라 흘러가며,
제 삶의 의미와 방향을 조용히 찾아갑니다. 흐르는
생각들과 속삭이는 구절들은 저의 삶을 더욱 풍부하고
의미 있게 만들어주며, 제가 걸어가야 할 길에 빛을
비춥니다. 이 속삭임 속에서 저는 진정한 저를 발견하고,
삶을 사랑하는 법을 배웁니다.

　생각은 종종 어딘가에 머물지 않고 흐릅니다. 그러나
저는 이 순간을 살아가며, 제 생각을 기록합니다. 이렇게 제
생각은 글로 남겨집니다. 조금 전 읽었던 구절들은 마치
옆에서 속삭이는 듯합니다. 그 속삭임은 저를 이끌고, 저는
그 소리에 귀 기울입니다.

　이렇게 밤은 깊어만 가고, 저는 여전히 이곳에, 생각 속에
있습니다. 사랑스러운 나만의 생각들로 이루어진 이
시간으로 저는 밤을 보냅니다.

제2부 깊은 밤으로 들어가다

1. 조용한 밤과 자아 발견

조용한 밤의 여정

고요하고 조용한 이 밤의 시간은 자아를 탐구하는 완벽한 무대를 제공합니다. 저는 창가에 앉아, 책 한 권을 들고, 나 자신과의 대화를 시작합니다. 이 대화에 주인공은 바로 나입니다.

내적 대화의 출발점은 의식 아래 있는 자아를 인정하는 것입니다. 그곳에는 수많은 삶의 흔적과 지문들이 남겨져 있습니다. 저의 참모습에 대해 더 알 수 있습니다. 때로는 어둡고 춥기만 한 진실을 마주하기도 합니다. 그럼에도 불구하고 자신을 찾아가는 길을 멈출 수는 없습니다.

찾아가는 길 위에 중요한 동반자 중 하나는 책입니다. 그 속에는 다양한 흔적을 가지고 있는 인물들이 있습니다. 인생의 추운 길을 또는 어두운 길을 지키는 시간들이 있습니다. 즐겁고 꿈만 같은 길을 지나는 순간도 있습니다. 우리는 상상하면서 마음껏 자신의 독창성을 발휘합니다. 비좁고 남루한 자신만의 가치관과 신념에서 탈출합니다. 더럽고 얼룩진 개인만의 구원이 아니라 더 넓은 세상을 향해 기지개를 켭니다. "성령이 너희에게 오시면 너희는 힘을 받아 예루살렘과 온 유대와 사마리아뿐만 아니라 땅끝에 이르기까지 어디에서나 저의 증인이 될 것이다."(행1:8)

자신의 감정이 어떻게 기억하고 있는지를 그리고 그 기억된 감정을 해석하는지를 발견합니다. 다양하게 해석된 감정과 기억들을 알게 됩니다. 책에 있는 다양한 이야기를 통해 우리는 자신을 더 잘 이해할 수 있습니다.

자신이 온 길에 대해 알게 됩니다. 그리고 가고자 하는 길에 대한 목표가 생깁니다. 자신이 사랑하는 것에 대한 계획이 설정됩니다. 자신이 만든 그 계획은 삶의 중요한 기준이 됩니다. 오래된 미래의 또 다른 저를 발견하게 됩니다.

하지만 그 과정을 지나가는 것은 쉬운 길이 아닙니다. 그럼에도 이 밤에 듣고자 하고 발견 하고자 한다면, 다양한 도구를 통해서 내면의 목소리를 듣게 되고 진정한 자신을 찾을 것입니다. 이를 통해 저는 더 강하고, 더 성숙하고, 더 풍부한 사람으로 바뀔 것입니다.

그렇게 저는 읽고, 쓰고, 생각합니다. 각각의 밤은 저에게 자아를 발견하게 하는 또 다른 삶의 공간입니다. 저는 이 배움을 통해 끊임없이 성장하고 발전해갑니다. 진정한 저를 찾는 여정은 결코 끝나지 않습니다. 하지만 그 과정 자체가 바로 인생의 아름다움입니다.

2. 어느 겨울밤의 기억

종이 위에 쓰여진 옛 글자들이 있습니다. 시간을 넘어 조용히 저를 부르고 있습니다. 그 속에는 저의 과거 약속들이 숨 쉬고 있습니다. 기쁨으로 가득 찬 미소도 있습니다. 잊고 있었던 행복의 조각들이 있습니다. 저는 지금 그 글들을 하나씩 읽어갑니다. 잃어버린 저의 시간을 찾는 것 같습니다. 여행 중에 쓴 옛 편지를 읽어 봅니다. 행복했던 옛 추억의 순간들을 봅니다.

천천히 글들을 따라갑니다. 천진난만한 어린 시절 풍경이 떠오릅니다. 동이 트고 있는 첫사랑의 수줍은 손길이 있습니다. 모닥불에서 밤을 새우던 기타 소리가 들려옵니다. 쉬지 않는 이야기가 밤을 결국 이깁니다. 이 글들은 변함없이 그 시간입니다. 변하지도 흐르지도 않았습니다. 순수한 시간이 그곳에 고정되어 있습니다. 멈추어진 시간은 저의 기억 속에서 계속 흐르고 있습니다. 오늘 햇살의 따스함과 기쁨을 주는 것 같이.

다만 과거를 기억하게 하는 기념물이 아닙니다. 저의 영혼에 살아 있는 글들이 말하고 있습니다. 저에게 주어진 삶이 어디에서 왔는지를. 그리고 지금은 어디로 가고 있는지를 이야기합니다. 행복했던 과거 순간들이 지금도 살아 있다고, 미래의 순간들도 여전히 희망차다고 말하고 있습니다. 이 기록들은 묘비에 새겨져 있는 글처럼 바래거나 희미해지지 않습니다.

삶이 주는 의미는 여전히 계속 여행 중입니다. 종이 위에 있는 글이 시간을 초월한 진실을 가지고 있는 것처럼. 깊은 울림을 간직한 감정이 있습니다. 사려 깊은 사람으로 만들어갑니다. 마음에 넓은 울림이 있는 사람입니다. 진한 사랑의 계곡을 간직한 사람입니다. 과거의 자신과 만난 사람입니다. 찬란한 그 순간들이 그녀를 깨어나게 했습니다. 깨어난 순간들을 통해서 그는 살아가는 삶의 이유를 물어봅니다.

옛 글들과의 대화는 시간이 흘러도 결코 잊혀지지 않는, 삶의 소중한 순간들을 저에게 다시 한번 상기시켜 줍니다. 그것은 마치 삶의 조각들을 하나하나 모아 다시 한번 그림을 완성시키는 과정과도 같습니다. 각 조각은 과거의 행복했던 순간들로부터 우러나오며, 그 순간들이 현재의 지에게 전하는 메시지는 더욱 선명하고 깊이 있는 울림으로 다가옵니다.

과정은 연속적입니다. 작은 삶의 기쁨을 다시 느낄 수 있습니다. 아름다운 삶의 순간들을 다시 깃들게 할 수 있습니다. 깨달았던 깨달음을 또다시 깨달을 수 있습니다. 넘어질 것 같던 삶이 다시 일어납니다. 전체로서 부분일 뿐입니다. 다독이고 있는 과거의 씨앗들이 희망으로 가득 찬 미래의 불꽃으로 타오릅니다.

옛 선조들의 말씀에는 그런 의미가 있습니다. 단순한 과거로서 사라짐이 아닙니다. 삶을 사랑하는 의미를, 전해 받은 것의 고결함을, 시간과 공간을 넘으며 여전히 우리와 소통하고 있다는 것을. 오늘의 세상은 그것으로 이미 충분해집니다.

저는 옛 종이에 쓰여 있는 글을 발견합니다. 숨겨져 있던 보물을 발견한 듯 저는 기뻐합니다. 저도 그 속으로 오늘도 뛰어들 준비가 되었습니다. 모으고 기록하고 정리한 글로 기쁩니다.

먼지 같지만 아주 소중한 것들

먼지 같은 작은 기록이 있습니다. 오랜 시간 동안 빛나는 보석입니다. 아주 평범한 기록들입니다. 저의 기억이 담겨

있습니다. 저의 감정이 그곳에 남겨져 있습니다. 저의
영혼을 어루만졌던 것들입니다. 작지만 여전히 빛나고
있습니다.

삶은 큰 사건들로만 이루어져 있지 않습니다. 때로는
작고 소소한 것들이 더 소중할 때도 있습니다. 아주 짧은
순간에 적은 메모, 점점 마모되어 가는 사진들, 과거의 여행
같은 편지들이 있습니다. 그 시절을 보여줍니다. 변함없이
웃고 있는 우리가 있습니다. 한 상에 둘러앉은 큰 가족이
있습니다. 따뜻한 저녁 식사가 준비되어 있습니다.

작은 기록 하나가 큰 파문을 일으킵니다. 잊고 있었던
가치를 되찾게 합니다. 끊어졌던 고리를 다시 이어갑니다.
삶의 방향에 길을 터 줍니다.

저는 오랫동안 노트북을 사는 것을 미루고 있었습니다.
이 또한 저의 삶의 작은 부분의 전체를 이루고 있습니다.
작고 사소해 보이는 기억의 파편들이 저를 감싸고
있습니다. 숨겨져 있는 선물을 찾고 있는 아이 같습니다.

쌓여 가고 있는 먼지 같은 삶을 바라보노라면 저는 잠시
현재를 잊게 됩니다. 쌓여 있는 우리의 과거라는 이름은
다만 잊혀져가는 과거가 아닙니다. 소중한 기억들은 쉽게

사라지지 않습니다. 잃어버리지 않기 위해 우리는 써 내려갑니다. 기억의 기록들은 자기만의 시간 속에서 살고 있습니다. 그 안에서 '지금'을 살며 서 있습니다. 읽는 이의 '지금'과 얼굴과 얼굴을 마주하고 있습니다. 알려주고 있습니다. 다시금 되찾은 지금의 시간이 됩니다.

두 방 사이에서

찬 바람이 문틈을 따라 스며듭니다. 저는 먼 옛날 저의 방으로 여행을 떠납니다. 작고 소박했습니다. 세상의 모든 겨울이 침입할 수 없는 따뜻한 저만의 세상이었습니다. 잔잔한 한 편의 시가 되어 떠돌았습니다. 사랑의 교훈이 그 공기를 압도하고 있습니다. 추억의 노래가 벽으로 막고 있었습니다. 바다 위에 떠 있는 작고 포근하고 아름다운 섬입니다. 바다는 점점 차가워지고 있지만 이곳은 점점 사랑스러워지고 있습니다. 더 깊어지는 위로와 평화로 따스해집니다.

세상의 소란함에서 벗어날 수 있는 곳이었습니다. 저의 소리를 들을 수 있는 곳이었습니다. 작은 마당에는 나무가 심겨져 있었습니다. 계절의 풍경을 볼 수 있는 곳이었습니다. 책장 속에 책들은 지혜의 향기로 가득 차 있었습니다. 저녁노을이 스며들면 더욱 고요해졌습니다. 방은 스스로 자기 이야기를 토해내고 있었습니다.

그곳에서 저는 많은 시간을 혼자 보냈습니다. 차 한 잔의 여유 속에서 책을 읽었습니다. 때로는 펜을 들고 자신만의 생각을 종이 위에 펼쳐 놓았습니다. 그 작은 방은 저에게 꿈꾸는 공간이었습니다. 명상의 장소였습니다.

그 방에서의 시간들은 저에게 진정한 행복이 무엇인지, 평화로운 마음이 얼마나 큰 힘이 되는지를 가르쳐 주었습니다. 저는 이제 세상을 마주 볼 수 있습니다. 저는 이제 마음의 평화를 지킬 수 있습니다. 저는 삶이 주는 교훈을 간직하고 있습니다.

거실에 앉아 기록합니다. 손은 점점 차가워지지만 저의 하루가 뜨거워지는 기록입니다. 목도리와 후드 티를 입고 연필을 쥡니다. 다시 돌아갈 따뜻한 곳이 있다는 것에 마음을 놓습니다. 기록의 보물들이 차곡차곡 쌓여 있습니다. 벽쪽으로 소파를 옮깁니다. 거실은 더 넓어집니다. 물 한잔의 따스함이 밀려옵니다. 차갑고 쓸쓸한 밤을 잊습니다.

창밖으로 바람이 불어오고 있습니다. 저는 좋아하는 책을 펼칩니다. 순간 방은 고요해집니다. 창에서 들려오는 소리와 책 속의 내용이 서로 연결되어 갑니다. 서로의 초대장을 받으면서 즐거워합니다. 책 넘어가는 소리와 바람 넘어가는 소리가 하나의 선율이 되어서, 저도 더 깊이 밀려들어갑니다.

바람이 건네주는 인상들

불어오는 바람은 생생하게 만듭니다. 저는 바람을 타고 여행을 떠납니다. 향기로운 바닷바람이 불어옵니다. 저는 책의 숲을 거닐고 있습니다. 저는 바다로 항해하고 있습니다. 도시의 곳곳을 탐험하고 있습니다. 마법의 세계처럼 저는 신비로운 것들을 경험합니다. 책을 읽는 동안 잔잔한 물결도 있습니다. 때로는 격렬한 폭풍우도 있습니다. 저의 감정은 여러 곳으로 휩쓸려 갑니다. 책이 당기는 대로 제 마음을 맡깁니다. 다양한 모습으로 저를 인도해 줍니다. 그것이 책이 가지고 있는 힘입니다.

강렬한 인상을 가진 표지가 책상 밑에 있습니다. 저의 부드러운 책갈피는 413페이지에 있습니다. 벌써 한 달이 지나가고 있습니다. 저의 앞에 1월의 달력이 펼쳐져 있습니다. 설날이 지나가면 1월이 끝이 납니다. 이렇게 시간은 흘러가고 겨울밤의 기억은 제 마음속에 남아 있습니다.

창밖으로 찬 바람이 불어오고 있습니다. 제 방은 작은 온기로 가득한 세계입니다. 커피 향은 여전히 잔에 남겨져 있습니다. 커피 봉지가 10개나 책상 위에 있습니다. 손톱깎이와 메모지가 놓여 있습니다. 아이가 그린 그림과 AA 건전지 2개도 있습니다. 벽에 걸려 있는 하얀 시계가 오늘의 시간을 알리고 있습니다.

이렇게 차가운 겨울을 홀로 보내고 있습니다. 저는 고요한 그 추억 속으로 들어갑니다. 캄캄한 기억 속으로 천천히 걷고 있습니다. 깊어가는 겨울 속에서도 움트는 새싹이 있습니다. 이 작은 저의 방은 기억의 항아리입니다.

저의 작은 순간들이 모여들고 있습니다. 따스한 이불 속에서도, 차가운 창문 틈 사이에서도, 투박한 잔에 담긴 물속에서도, 새벽을 찾아 떠난 여행자의 발자국 속에서도. 오늘 하루도 옹기종기 모여서 시로의 온기를 나누어 주고 견딥니다. 그리고 그것을 손으로 기록합니다.

3. 어둠 속에서 찾는 예배당

어두운 길을 내려가면 보이는 조그만 예배당이 있었습니다. 매주 토요일이면 우리들은 모여서 예배를 드렸습니다. 문을 열면 맨 먼저 큰 거울이 있었습니다. 그 아래에는 신발장이 있었습니다. 그리고 양옆으로 삐거덕거리는 나무로 된 바닥이 있었습니다. 우리는 각자 깔려있는 방석에 앉아서 강단을 바라봅니다. 그리고 나무로 된 설교단이 있었습니다. 설교단에는 소리 높여 노래를 부르는 소리와 강단을 손으로 두드리는 소리가 장단을 맞추어서 울려 퍼졌습니다.

저의 어린 시절은 그렇게 시작되었습니다. 다른 많은 사건들이 저의 앞에 지나갔다는 것을 사진들을 보면서 알 수 있겠지만 맨 먼저 기억이 저에게 전하는 것들은 이와 같습니다. 학교에서 배우는 것들보다 교회에서 배우는 것들이 더 앞장서서 어린 저를 인도하고 있었습니다. 중요한 것을 배우는 곳은 늘 그런 곳이었습니다.

학교는 단지 모두들 다니는 그런 의무감으로 그날을 채우는 시간에 불과했습니다. 친구들과의 관계에서도 그리고 선생님과의 관계에서도 그렇게 저의 인상 깊은 내용은 보이지 않았습니다. 단지 저는 다양한 종류의 싸움을 이어 가는 아이처럼 으르렁대고 있었습니다. 저에게 마치 또 다른 장소가 따로 존재했던 것처럼 저는 스스로 특별하다고 생각하면서 행동했던 것 같습니다. 새로운 노래를 배울수록 더 많은 시간을 그곳에서 보낼수록 저는 더 특별해지고 있었습니다. 스스로에게 건네는 그 이야기는 더 그 힘을 키워가고 있었습니다.

너는 더 특별하다는 의미와 죄인이라는 의미는 동시에 저에게 작은 마음에 높은 곳에서 떨어지는 작은 물방울처럼 떨어지고 있었습니다. 저는 그 의미를 처음에는 전혀 이해할 수 없었을 것입니다. 그러나 그 방울들은 하나둘씩 저의 깊은 영혼을 새롭게 만들고 있었습니다. 학교에 있는 저와 교회에 있는 저는 전혀 다른 모습으로 나누어지고 있었습니다.

다른 세계에서 배우는 두 가지 다른 언어를 저는 배우고 있었습니다. 한 곳에서는 사랑하는 말과 부드럽고 따뜻한 말들을 가르쳐 주고 다른 곳에서는 비교되는 성적과 경쟁적인 놀이들을 배우고 있었습니다. 그리고 특별히 더 그 점수를 높이기 위해서 하는 일은 없었습니다.

친구들과의 비교하면서 더 높은 성적을 얻어야 한다는
이유를, 더 나은 동기를 배우지 못했습니다. 저는 저의 삶을
어쩌면 홀로 걸어가는 배워 가는 하느님 앞에 선 한
사람이었습니다.

저는 홀로 있을 때 더 많은 것을 배웠습니다. 홀로 책상에
앉아서 아무것도 배우려고 하지 않을 때 저에게 찾아오는
하늘의 소리가 마음속에 들려오는 듯했습니다. 다양한
사람의 입을 통해서 전해진 말씀들은 어린 저에게 빛을
비춰 주는 것 같았습니다. 학교에서는 전혀 느낄 수 없었던
어쩌면 관심이 없었던 일들이 저에게 소소하게 일어나고
있었습니다. 저를 대하는 부모님과 친구들 그리고 이모와
고모들의 얼굴에도 아직은 볼 수 없었던 것이었습니다.
나이가 들어 가끔씩 듣게 되는 어른 들의 그 어린 시절의
저의 모습을 보게 됩니다.

어두운 밤 촛불

촛불을 켜놓고, 때로는 홀로 어두운 밤에 방 안에 앉아서
저는 위대한 작가인 양 크기와 간격도 다른 하나의 글을
쓰는 것이라고 공상에 잠기곤 했습니다. 때로는 시인처럼

시를 적어 내기도 했습니다. 하지만 그것들은 누구도 알아볼 수 없는 빈공간에서의 지나감이었습니다.

다시 읽어 보는 저도 그 글이 무슨 문장인지 알 수 없었습니다. 내용이 적혀 있지 않은 어떠한 큰 비어 있는 그릇이 저에게 필요한 것이었을까요! 그 그릇을 채우기 위해서는 많은 세월과 고통과 시간을 견디고 이겨내야 했습니다. 그 안에 있는 저를 만나는 것임을 그때는 전혀 몰랐습니다.

저에게 만남은 아주 작고 사소한 공간에서 홀로 이루어지고 있었고, 하늘에서 저를 바라보는 것 같은 그 희망을 마음에 간직한 채 이미 어른처럼 행동하고 있는 듯이 말하고 걷고 있었습니다.

마치 어느 시골 부흥회에 온 흰 양복에 정장을 곱게 차려입은 나이 많은 은퇴 목사의 모습이었습니다. 하얀 구두가 진흙에 묻지 않게 하려고 이리저리 길을 피하고 먼지가 조금이라도 묻지 않게 방금 세차한 깨끗한 차 안으로 들어가는 이미지 말입니다.

방금 새로운 복된 소식을 이 민 곳에 와서 시골 사람들에게 빛처럼 전파하고 있었다고 믿고 있었습니다.

어쩌면 저도 그 뒤를 이어가고 있는 그 거대한 움직임에 작은 하나의 떨림으로 저의 자리에서 울리고 있었음을 상상했습니다.

우리가 꿈꾸는 세상

우리는 모두 또 다른 세상을 필요로 했습니다. 아주 작은 세상이 우리 속에서 꿈틀대고 있었기 때문입니다. 아직 방향을 정하지 않은, 정할 수 없는 그 새로운 시작이 문을 열어 준 것입니다.

서로 다른 삶의 방향을 조금씩 찾아가고 만들어가는 그 시간들이었습니다. 저 역시 저의 시간을 채워 가면서 저에게 주어진 그 선물을 천천히 풀어가고 있었습니다.

사랑하는 사람들이 조용히 밤에 양말 속에 넣어 주는 크리스마스 선물입니다. 그러나 아직 저는 그날의 선물을 아직 모두 열 수는 없었습니다.

하지만 아직 날 수는 없지만 언젠가는 날아갈 수 있다는 꿈은 점점 더 부풀어 오르고 있었습니다. 누가 특별히 가르쳐주지 않더라도 그 길은 언젠가는 열리고 말았을 것입니다.

잠들어 있다는 것은

잠들어 있던 그 수많은 밤들은 저에게 속삭이고
있었습니다. 시간의 순서대로 흘러가지 않는다는 것을.
나이에 따라 달라지는 것이 아니라는 것을. 높아지고
낮아짐이 없다는 것을. 모든 것은 수면 아래 혼합되어
있다는 것을. 이불 속에서 고요히 숨 쉬고 있다는 것을.
아직 숨겨져 있다는 것을. 다시 찾아온다는 것을. 다시
속삭인다는 것을. 무엇인가를 들려주고 있다는 것을.
나타나고 있다는 것을. 연결되고 있다는 것을.

경쟁하고 있는 어린아이의 세상이 아니라, 비밀을
간직하고 지키고 있는 아이의 세상입니다. 알을 품고 있는
아이 속에 무엇이 있는지 아무도 알지 못했습니다. 저 역시
제 안에 무엇이 있는지 전혀 알지 못했습니다. 작은 저의
기도는 행복을 향해 피어오르는 꽃입니다. 내일의 일을
걱정하지 않습니다. 오늘의 일에 충실합니다. 지금 이
순간을 느낄 뿐입니다.

진정한 재능이란

저에게는 재능이 없음이 저의 진정한 재능이었습니다.

학교에서의 무능함이 저에게는 진정 유능함이었습니다. 더 느릴수록 더 멀어질수록 저는 더 빠르고 더 가까운 길을 볼 수 있었습니다. 저의 시간은 그렇게 주어졌다고 생각하고 믿었습니다.

저의 삶의 모든 판단은 그곳에서 시작되었습니다. 그 배움의 시간은 저녁마다 울려 퍼졌습니다. 저의 몸과 정신은 더 강해지고 있었습니다. 새벽마다 울려 퍼지는 종소리였습니다.

새벽종이 저의 영혼에 쉬지 않고 울리고 있습니다. 제가 시험을 볼 때나 제가 달리기에 지고 있을 때에도 학교에서 인정받지 못할 때에도, 저는 더욱 그 종소리를 기대하면서 그 소리가 더 깊게 퍼지기를 소망했습니다. "여호와는 나의 목자시니 내게 부족함이 없으리로다."(시편 23편)

저는 그렇게 자라고 있었습니다. 저는 그 인도하심을 따라 걸었습니다. 저는 그 발걸음을 아장아장 걸었습니다. 저는 그 보폭을 맞추면서 걸었습니다. 넘어지는 순간들이 더 많은 시간이었습니다. 저는 그 시간을 버티고 있었습니다. 저에게 점점 굳은살이 생기기 시작했습니다.

그래서 저는 그 어린 시절에 기억이 나는 것이 별로 없는

것 같습니다. 누군가를 괴롭히고 싸움을 걸고 자랑하고
우쭐거리는 어린 꼬마 대장이 있었을 뿐이었습니다.
아무도 대장을 시켜주지 않았지만, 홀로 대장이라는
이름을 가졌습니다.

　너무 많이 할아버지의 사랑을 받아서 그런지, 아니면
이를 닦는 법을 배우지 못해서 그런지, 아니면 배우기
싫어하는 저의 모습 때문인지는 모르겠지만, 저의 이는
썩지 않은 것이 없을 정도였습니다.

　그래서 생각이 나는 별명은 이빨 빠진 노 장군
이었습니다. 그렇게 저는 성한 이빨이 거의 없는 모습으로
홀로 대장 노릇을 하면서 사랑받으며 어린 시절을
보냈습니다.

어린 저를 지켜주던 노래

　"어두운 밤에 캄캄한 밤에 새벽을 찾아 떠난다."
멀리서도 알아들을 수 있는 음들이 파도처럼 어린 저의
마음에 들려 옵니다.

　노래에 소질이 없었던 저는 더 깊이 제 영혼에
각인시켰습니다. 올라가지 않는 음을 따라 하지도

않았습니다. 더 아름답게 꾸미지도 않았습니다. 못했던 것입니다. "종이 울리고 닭이 울어도 내 눈에는 오직 밤이었소."

그러나 노래가 음식이라면 전부를 소화하고 싶었습니다. 걸어가면서도 스스로 나오는 그 자연스러운 마치 노래가 몸에 일부가 되어 붙어 있는 것처럼 저는 그런 상태가 되기를 기다렸습니다.

먼 훗날 알게 되었지만, 그것이 옳았다는 것을 깨닫게 되었습니다. 더 오랜 시간 저를 기다려 주었고 저에게 힘이 되어주었습니다. 저의 판단과 감정이 다른 곳으로 향할 때 저의 영혼을 지켜주는 등대와 같았습니다.

아무것도 보이지 않는 캄캄한 밤을 지나가는 길에서도 저는 두려워하지 않았습니다. 그 빛이 있었기 때문입니다. 어릴 적부터 그 어두운 산길을 지나가면서 부르던 그 노래가 다시 기억났기 때문입니다.

저와 함께 춤을

춤에 소질이 없었던 저는 춤을 배우지 않았습니다. 아름다운 춤을 출 수 없었기에, 저는 다른 아름다움에 눈을

돌렸습니다. 아름다운 몸을 만들기 위해 노력하지도
않았습니다.

그 당시 대부분 친구들이 하던, 태권도도 저는 배우지
않았습니다. 저에게 있어서 그런 운동은 맞지 않았습니다.
그러나 저는 다른 아름다움을 바라보고 있었습니다.

저에게 없는 것을 가지려고 하지 않고, 지금 있는 것을 더
소중히 여기는 것을 선택했습니다. 운동을 통해서 더
부드럽고 당당한 근육을 가질 수 있을 것이라는 생각은
했지만, 저에게 필요하지 않다고 생각했습니다. 저는
학교에서 배우는 최소한의 운동을 했습니다.

저에게는 더 중요한 운동이 필요하다고 감각적으로
느꼈습니다. 하나를 선택한다면 다른 하나는 포기해야
한다고 생각하던 시기였습니다. 둘 다 선택해도 되는데
그것은 서로를 향해 옳지 않은 것이라고 생각했습니다.

좋아하는 것을 더 좋아하는 것이 가장 중요한
선택이라고 생각했습니다. 다른 것을 선택해야 할 걱정을
사라지게 만들기 때문이었습니다.

고민하고 고통스러운 시간이야말로 가장 소중한 시간을
잃어버리게 하기 때문이라고 생각했습니다. 오래전에

선택한 그리고 선택된 그것이 저에게 가장 소중한
것이라고 믿고 있었습니다.

그것이야말로 저에게 있어서 하나의 거룩한 노래이고
춤이라고 생각했습니다. 저에게 전달된 그 작은 불씨를
꺼뜨리지 않기 위해 저는 노력을 기울였습니다. 저도
누군가에게 전달되어야 할 그 이야기였습니다. 그것은
하나의 긴 고백이 담긴 몸짓이었습니다.

두렵고 떨림으로

그 누구도 알아주지 않아도 저는 반드시 가야만 하는 그
약속의 장소에 이르는 다짐을 여러 번 다시 하곤 했습니다.
저는 반드시 그곳에 가고 싶었습니다. 입으로 소리를
내면서 잠들었던 저를 날마다 깨우고 있었습니다.

어머니가 저를 깨우는 그 소리의 흐름이 아니었습니다.
더 잔잔하고 평화로웠습니다. 더 강하고 부드러운
소리였습니다. 저는 응답하며 그 길에 들어서고
있었습니다. "나의 사랑하는 책 비록 해어졌으나 어머님의
무릎 위에 앉아서 재미있게 듣던 말 그때 일을 지금도 내가
잊지 않고 기억합니다."(234) 들려오는 세상의 소음과

소리가 점점 더 커질수록, 저는 더 작고 깊은 제 안의
울림에 더 집중할 수 있었습니다.

빛과 어둠이 더 분명해질수록, 저는 더 쉽고 가볍게 그
강을 건널 수 있었습니다. 그리고 세상이 온통 하얀 눈으로
덮여 있을 때에도, 오히려 저는 망설이고, 고통스러워하고
있던 삶을 두렵고 떨림으로 살아내고 있었습니다.

4. 잠이 오지 않는 겨울밤

불면의 겨울밤은 사색의 이야기로 가득합니다. 외부의 세상은 조용해집니다. 내면의 세계는 마법 같은 순간을 만듭니다. 그리고 서로 교차하면서 시간을 다스립니다.

밤은 깊어가고, 창밖의 눈은 계속해서 조용히 내립니다. 겨울밤의 고요함을 더욱 돋보이게 합니다. 그리고 방 안의 따뜻함과는 대조를 이루고 있습니다.

주인공은 침대 위에서 잠 못 드는 시간을 글쓰기로 보내기로 결정했습니다. 거실의 탁자 위에 있었던 아이패드와 키보드를 들고 방으로 들어왔습니다. 그는 자신이 생각하고 느끼는 감정들을 글로 쓰기 시작했습니다.

방 안은 아늑하고 고요합니다. 하지만 오직 키보드 누르는 소리만이 이 밤의 고요함을 깨우고 있습니다. 키 큰 책장 속에 있던 책들이 그를 바라보는 것만 같습니다.

저도 눈을 들어 그들을 지켜봅니다. 침대 위에도 최근에 읽었고 읽고 있는 책들이 잠을 청하면서 누워있습니다. 그 옆 뒤집혀 있는 모자 안에는 안경과 형광펜 그리고 볼펜이 들어있습니다.

그 옆에는 꿈속에서 저를 찾아왔던 이미지가 적혀 있는 노트가 있습니다. 저는 마음을 흔들었던 문장을 책갈피에 적어 놓는 것을 좋아합니다. 책을 읽을 때마다 다시 들여다볼 수 있기 때문입니다.

다시 읽어 보면서 예전에 알지 못했던 문장을 발견하는 것은 늘 기분 좋은 일입니다. 읽어갈수록 점점 더 저만의 책이 제 눈앞에 세워져 있습니다. 그리고 관심이 멀어지는 책들은 주변으로 밀려나고 있습니다.

밀물과 썰물처럼 제 안의 달은 저의 취향을 더욱 깊어지게 합니다. 책은 닫혀 있지만 저는 그 내용을 알고 있습니다. 그렇게 언제나 다시 그 이야기를 듣고 싶을 때 저는 그녀의 책을 펼쳐봅니다. 저에게 영감을 주고 격려하고 위로하는 수많은 삶의 움직임들이 살아있습니다.

저에게 들려주고 싶은 이야기

이 겨울밤에, 작가는 스스로에게 자신의 이야기를 밤새 전하고 있습니다. 열심히 일했던 몸이 이제 쉼을 얻고 있을 때, 진정한 대화가 시작되었습니다.

밤새 들었던 그 이야기를, 그 선물을 풀기만 하면 되는

것입니다. 들은 이야기를 얼마나 이해하고 있는지를
생각합니다. 그리고 어떻게 자신의 삶으로 연결할 수
있을지를 고민합니다.

이런 사색의 순간들이 창조적인 영감을 주고 있습니다.
불면의 시간은 다른 것으로의 연결의 시간으로 전환이
됩니다. 글쓰기를 통해서 밤새 듣고 깨달았던 것들을
표현할 수 있습니다.

그리고 다른 사람의 삶의 이야기를 더 잘 읽어 낼 수
있습니다. 그들의 깊은 사색의 순간들을 우물 속에 있는
물처럼 길어 올릴 수 있습니다.

이 겨울밤은 그런 시간과 기억의 새로운 장이 되고
있습니다. 생각해 보지 못했던 것들을 다시 상상합니다.
그리고 그것에서 오고 있는 기쁨에 즐거워합니다. 그리고
삶을 여러 모습으로 바라볼 수 있는 행운을 얻게 됩니다.

이 겨울밤은 누군가에게는 조용한 안식처를 제공합니다.
또한 누군가에게는 잠 못 드는 밤이 됩니다. 자신이 써야 할
고민으로 고통스러워하는 밤이 되기도 합니다.

마음과 몸이 치유되는 어둠의 시간이기도 합니다. 옛
기억이 떠오르기도 하는 공간이 되기도 합니다. 다양한

이야기로 더 풍성해지는 나만의 우주입니다. 사랑했던 것을 다시 사랑하게 되는 순간의 기억들입니다.

제3부 밤이 주는 선물들

1. 토요일 밤

잠들고 싶지 않습니다

밤이 제 마음을 누르고 있지만, 저는 아직 잠들 준비가 되지 않았습니다. 잠으로 가는 깊은 밤의 열차를 타지 않고, 저는 현실에 남아 끝까지 저항하고 싶습니다.

이는 거대한 계획이나 의지 때문이 아니라, 나 자신을 찾아가고자 하는 욕구 때문입니다. 저는 지금 이곳에, 홀로 있습니다. 저를 바라보는 이 없고, 저의 시간에 관심을 두는 이도 없습니다.

모두가 자신의 삶에 바쁘기 때문입니다. 저는 그들의 삶을 존중하고, 때로는 위로의 말을 건넵니다. 하지만 지금 이 순간, 저는 여기, 옛 어린 시절처럼 혼자서 저의 숨소리와 글쓰기에 집중하고 있습니다.

사라져도 괜찮습니다

오늘 밤 제가 쓴 글은 내일이 되면 기억에서 사라질지도 모릅니다. 하지만 저는 두려워하지 않습니다. 저의 존재를 증거하기 때문입니다.

저는 이불을 어깨에 둘러메고, 제 생각을 글로 옮기고 있습니다. 이 시간을 경쟁으로 넘기는 이들도 있지만, 저는 다른 길을 걷고 싶습니다.

저는 저의 솔직한 마음을 표현하는 것에 집중하고 있습니다. 가끔식 몰려오는 쓸쓸함도 있지만, 시간이 흐르면 모든 것이 지나갑니다. 그리고 진정한 의미는 지금 이 순간에 있습니다.

알고 싶을 뿐입니다

저는 내면의 목소리를 듣고 있습니다. 그 소리를

이해하려 노력합니다. 글로 옮기는 일을 통해 더 알고 싶기 때문입니다. 기록되어지는 것 이상을, 저는 진정 대화하고 싶습니다.

다시 읽습니다. 또 다른 저를 발견하기도 합니다. 쓰고 있는 나 자신을 치유해 주기도 합니다. 빈 공간을 채우고 있는 그 자체만으로 저는 행운의 몸이 됩니다. 저를 바라보는 거울이 제 안에 있습니다. 무심했던 것들이 서로 인사를 나누고 있습니다. 하루 동안 어떠했는지 이야기하는 시간입니다.

그 밤이 그리울 뿐입니다.

저는 이 밤을 그리워합니다. 제가 누구입니까! 그리고 제가 무엇을 생각하고 느끼고 있습니까. 질문에 소소한 답을 해보는 시간입니다. 질문 속에 이미 답이 있을 수도 있습니다. 이 고요한 밤은 때론 고통스럽기도 합니다. 하지만 저에게 진실을 만나게 합니다.

저의 글은 저의 있음을 증언합니다. 저의 생각과 감정을 세상에 내놓고 있습니다. 살아온 저의 날들을, 체험했던 저의 순간들을, 저의 마음을 살아나게 합니다. 깊어가는 밤은 더욱 익어가는 저의 시간들입니다.

이 모든 것이 저의 글 속에 배어 있습니다. 저의 옛날이야기가 녹아 있습니다. 저는 그 이야기에서 삶의 의미를 찾았습니다. 오늘도 가야 할 저의 길입니다.

흐르는 밤처럼 흐릅니다

밤은 조용히 흐릅니다. 저는 여전히 글을 쓰고 있습니다. 저는 마음 깊은 곳에 있는 이야기로 이 밤을 채우고 있습니다.

이 밤을 탐험합니다. 저의 이야기를 씁니다. 아름다운 삶의 깊이에 풍덩 빠지고 싶습니다. 여전히 밤은 깊어가고 있지만, 저는 지금 여기에 있습니다. 그 세계는 깊은 고요함과 소리를 가지고 있습니다.

세상 문이 닫히는 소리도, 주변을 채우는 소란함도 저에게는 문제가 아닙니다. 오직 저의 사색은 깊어가고 있습니다.

이 밤을 침범하는 오후의 피곤함도, 저의 기억을 사라지게 할 수 없습니다. 이 밤은 여전히 사랑했던 시간들로 충만합니다. 생기 넘치는 미소로 넘쳐납니다.

우리의 즐거운 시간을 침입할 수 없습니다. 옛 기억의
기억들이 우리의 벽이 되어주고 있습니다. 우리는 함께
서로의 기억들을 써 내려가고 있습니다.

진정한 평화는 무엇입니까!

저의 생각과 감정들이 이 밤에 탐구됩니다. 저의
취향대로 이 세상이 이해됩니다. 저의 평화는 이렇게 얻게
됩니다. 저의 순간은 이렇게 쓰여지게 됩니다. 저의 삶은
가치를 얻게 됩니다. 이렇게 모든 순간들이 됩니다.

저의 글은 저와의 마주침입니다. 저의 글은 기억의
달음박질이며, '삶의 유한함을 받아들임'입니다. 저의 글은
제가 보내는 이 밤을 아름답게 해줍니다.

이 밤은 고독과 침묵 속에도 잠겨 있습니다. 그곳에서
진정한 자신을 발견할 수 있습니다. 참된 자신의 목소리를
들을 수 있습니다. 저의 삶의 흔적이 있는 곳입니다. 제가
살았던 시간이 기록되어 있습니다.

이 밤은 인생과 자연 그리고 사람에게 깊어집니다. 이
밤은 더 깊은 내면의 세계로 고요해집니다. 우리는 계속
찾아갈 것입니다.

2. 밤의 기도: 마음속 여정과 평화를 찾아서

밤에 드리는 기도: 마음의 평화를 찾아서

추운 겨울 일요일 밤이었습니다. 서울에 있는 작은
카페에 앉아있습니다. 저는 창밖에 비치는 달빛을 봅니다.

어둠 속으로 사라져 가는 하루를 지켜봅니다. 함께 한
친구들도 멀리 떠나갑니다. 이별하는 아쉬운 감정도
파도처럼 밀려옵니다. 그리고 조용히 사라져 갑니다.

골목길에 있는 카페

겨울은 한 가운데에 있습니다. 저는 도시의 한 가운데
있습니다. 카페는 조용한 골목에 있습니다. 추운
겨울바람을 등지고 문을 열고 들어섭니다. 따뜻한 공기와
진한 커피 향기가 밀려옵니다. 이곳은 겨울의 쓸쓸함을
잠시 잊게 해주는, 오래된 친구 같은 곳입니다.

달빛이 비치는 창가에 앉습니다. 창밖으로 보이는
달빛을 바라봅니다. 밤하늘을 수놓은 달은 차갑게
느껴집니다. 하지만 지금 저의 마음을 위로합니다.

그 빛은 카페 안의 작은 공간을 더욱 부드럽게 비춥니다.

실내의 모든 것을 더욱 아늑하게 합니다. 달빛 아래는
시간의 흐름도 느려집니다. 커피 한 잔의 온기가 손끝으로
전해집니다. 그리고 마음까지 따스하게 데웁니다.

이 시간은 세상의 소란을 멀게만 합니다. 고요함이
깃들어 있는 피난처가 됩니다. 생각의 흐름이 잠시
쉬어가기도 합니다. 넘어가는 한 페이지의 종이가 됩니다.
세계는 책 속에 잠깁니다. 모퉁이를 돌며 달빛이
스며들기도 합니다. 마음을 달래며 잠이 듭니다.

삶의 작은 기쁨들을 이곳에서 발견합니다. 둥근 찻잔에
담긴 한잔 커피의 향에, 고요한 달빛에 담긴 미소 짓는
느낌에, 일상을 탈출하는 곳에 마음의 안식이 있음을.
서로를 돋보이게 하는 특별한 공간이 됩니다.

달빛의 작별 인사

달빛이 비치는 이 작은 카페는 선물입니다. 언제나 찾을
수 있다는 것을 떠오르게 합니다. 잊을 수 없는 겨울날의
추억이 됩니다.

슬픔이 찾아옵니다. 삶의 가장 조용한 순간에 옵니다.
이별이라는 이름의 마지막 한 장을 남깁니다. 우리의

시간을 멈추게 합니다. 우리의 깊은 곳에 오래 머무릅니다.

그 순간들을 일깨우고 있습니다. 우리가 나눈 사랑의 깊이를, 우리가 나눈 추억의 속삭임을, 얼마나 큰 우리 삶의 의미를, 얼마나 소중한 위로가 되었는지를. 슬픔을 주는 작별 인사입니다. 소중함을 주는 이별의 순간입니다.

우리의 마음에 작은 빛을 줍니다. 작별의 순간에 우리는 사랑과 축복의 기도를 드립니다. 우리의 기도는 상실의 아픔을 이기게 합니다. 새로운 길을 걷는 이에게 평안을 줍니다. 사랑하는 이에게 새로운 용기를 줍니다. 그들의 행복을 조용히 빕니다. 그들의 삶에 항상 숨쉬기를 간구합니다.

두 손을 모아 그대에게

기도하는 순간입니다. 하늘에 닿기를 우리는 힘을 다합니다. 슬픔 속에서도 희망을 놓지 않습니다. 우리는 결코 혼자가 아닙니다. 우리의 슬픔을 나눌 친구가 있습니다. 마음의 위로와 평화를 원합니다. 마음의 상처가 치유되길 원합니다. 우리의 기도가 다시 우리에게 되돌아오길 바랍니다. 함께 짊어지는 슬픔은 더욱 작아집니다. 우리의 노력을 외면하지 않습니다. 상처 입은 치유자가 우리를 치유하고 있습니다.

작별 후 공허함이 남겨집니다. 모든 기쁨이 사라지는 빈 공간입니다. 슬픔은 이제 기쁨을 잃었습니다. 우리 삶에 기적은 이제 일어나지 않습니다. 다시 일어날 힘도 이제는 없습니다. 사랑의 힘도 삶의 진실도 빛을 잃었습니다.

아름다웠던 지난 추억을 기억해야 합니다. 사랑했던 많은 것들을 떠올려야 합니다. 도움의 손길이 있었음을 알아야 합니다. 비바람 속에서 함께 흘린 눈물을 보아야 합니다. 저의 사랑하는 책을 다시 읽어야 합니다. 달고 오묘한 그 말씀을 다시 들어야 합니다.

식사 후에 들려오는 말씀

식사를 마치고 다시 창가에 앉습니다. 저녁은 고요 속에 잠들어 있습니다. 식탁 위에 음식은 여전히 남겨져 있습니다. 가족과 함께 충분한 만찬을 나누었습니다. 그때, 성경 말씀이 마음에서 들려옵니다. "보라, 형제들이 연합하여 동거함이 얼마나 좋고 얼마나 아름다운가"(시편 133:1) 하늘에서 들려오는 천사들의 노래입니다.

달빛도 고요하게 이 식탁을 비추고 있습니다. 하루를 무사히 그리고 행복하게 마무리할 수 있다는 것에 우리는 감사를 드립니다. 말과 행동 그리고 눈빛으로 우리는 알고 있습니다. 그 아래 함께 모여 살아가는 이 순간들이 얼마나 소중한지를. "범사에 감사하라 이것이 그리스도 예수 안에서 너희를 향하신 하나님의 뜻이니라"(살전 5:18). 이 작은 식사를 감사의 마음으로 받으면서, 오늘도 그 은총과 사랑 안에서 살고 있음을 기억합니다.

은총과 사랑 위에 세워진 집은 날마다 봄바람이 불어옵니다. "사철의 봄바람 불어 잇고 하나님 아버지 모셨으니 믿음의 반석도 든든하다 우리 집 즐거운 동산이라"(559). 일상에서도 사랑과 기쁨을 느낍니다. 어떤 상황에서도 하나님의 뜻을 따라 살아가는 도전 속에서도 가장 큰 평안과 행복을 찾습니다. 우리 집이 하나님의 즐거운 동산으로 꾸며지길 기도합니다.

이 조용한 저녁 시간에 성서의 말씀을 묵상합니다. 우리는 삶의 근본적인 가치와 하나님의 뜻을 더욱 깊이 이해하게 됩니다. 성서의 구절들은 우리에게 삶의 모든 순간이 하나님과 함께하는 거룩한 시간임을 기억나게

합니다. 우리의 삶이 그분의 사랑과 은혜 속에 있음을
확신시켜 줍니다. 이 작은 깨달음은 우리 마음에 평화를
가져다줍니다. 삶을 더욱 사랑하고 감사하는 마음으로
채웁니다.

성서와 함께하는 이 시간은 우리에게 삶의 진정한
의미를 되새기게 합니다. 하나님의 사랑 안에서 매일을
살아가는 법을 가르쳐 줍니다. 이 조용한 순간들은 우리의
영혼을 충전시킵니다. 다가올 내일을 향한 희망과 용기를
불어넣어 줍니다.

찻잔을 둥글게 감싸 쥐며, 저는 식사기도를 했던 그
순간을 되새겼습니다. 마음속에서 울리던 기도 소리들이
들려오고 있습니다. 혼자서 하는 기도는 종종 힘없고 짧게
느껴졌지만, 함께 둘러앉아 드리는 기도에는 힘이
있습니다. "나의 약함 때문일까!" 저는 생각하곤 했습니다.

하지만 저는 그 이유를 묻지 않고 기도를 계속합니다.
눈을 감고, 하나님께 제 마음을 올려 드립니다. 빈 공간을
채우는 저의 생각들이 저를 붙잡았지만, 저는 그것들을
내려놓습니다. 이 밤이 지나도 무언가를 기대하기 어려운
것을 잘 알고 있기 때문입니다.

늦은 밤 카페에서 홀로

새로운 시작을 앞두고 홀로 카페에 앉아있습니다. 창밖으로 내리는 오후의 햇살이 부드럽게 내려앉는 안온한 하루입니다. 이 카페는 조용하고, 저의 주변으로는 각자의 생각에 잠긴 사람들과 커피 기계의 부드러운 소음만이 공간을 채웁니다. 이곳은 저에게 잠시 멈춰 서서, 내면의 목소리에 귀 기울이고, 앞으로의 삶에 대해 깊이 사유할 수 있는 공간입니다.

저의 새로운 시작은 막연하고, 동시에 설레는 기대감으로 가득 차 있습니다. 이런 순간, 카페에서 혼자 있는 이 시간은 마음을 정리하고, 앞으로 나아갈 방향을 모색하는 데 꼭 필요한 휴식처가 됩니다. 커피 한 잔의 따뜻함이 온몸으로 퍼져 갑니다. 마음 깊은 곳까지 퍼진 향기는, 저를 둘러싼 세상과 잠시 거리를 두게 합니다.

이 시간은 삶의 변화를 준비하는 저에게 조용한 격려와 같습니다. 창가 자리에서 바라보는 햇살이 비치는 거리는 앞으로 나아가야 할 길입니다. 무한한 가능성을 보여줍니다. 오르락내리락하는 사람들의 움직임, 소리를 내며 지나가는 바람의 소리들, 스치는 옷깃에서 나는 향수

냄새들, 시애틀에서 들려오는 사이렌의 노래들… 저의
모든 생각을 촉진하고 있습니다.

제가 꿈꾸는 새로운 시작에 대한 생각들은 이 카페에서
조용히 모양을 갖춰 갑니다. 제 앞에 펼쳐진 빈 페이지에
무엇을 적을지, 어떤 색으로 삶을 채울지 상상하며, 가끔은
두려움과 맞닥뜨리기도 합니다. 하지만 이곳의 시간은
저에게 용기를 줍니다. 모두들 여기서 저에게 말하고
있습니다. '너는 참 잘하고 있어. 모든 것이 잘 될 거야!'

두려움을 용기로 바꾸는 시간들

카페에서 보내는 이 시간은 저에게 새로운 시작을 향한
작은 첫걸음입니다. 여기서 저는 미래에 대한 불안을 잠시
내려놓고, 순간의 평온함 속에서 자신감을 찾습니다. 커피
한 잔과 함께하는 이 짧은 시간 동안 저는 나 자신과
대화를 나누고, 새로운 길에 대한 두려움을 용기로 바꾸고
있습니다.

카페에서 홀로 있는 이 시간은 새로운 시작을 기다리는
저에게 꼭 필요한 은총입니다. 여기서 저는 삶의 다음 장을
향한 준비를 하며, 앞으로 나아갈 힘을 얻습니다. 이 작은

카페는 저에게 새로운 시작이 단지 한 페이지를 넘기는 것보다 더 큰 의미를 지닌다는 것을 가르쳐 줍니다.

그것은 제가 직면할 모든 새로운 도전과 기회 앞에서, 제가 저 자신을 믿고, 제 꿈 향해 나아갈 수 있는 용기를 얻을 수 있다는 것을 상기시켜 줍니다. 그래서 카페에서 홀로 있는 이 시간은 단순한 휴식 이상의 의미를 가집니다. 이곳에서 저는 내면의 목소리를 듣고, 제 삶의 방향을 잡습니다. 각자의 생각에 잠긴 채 커피를 마시는 사람들 사이에서, 저는 저만의 새로운 시작을 위한 준비를 합니다.

이 작은 카페는 새로운 시작을 기다리는 모든 이들에게 희망의 등대와 같습니다. 여기서 우리는 잠시 세상의 소음에서 벗어나, 자신만의 꿈과 미래에 대해 깊이 생각해볼 수 있습니다. 이곳에서 보내는 이 시간은 우리에게 더 큰 꿈을 꾸고, 더 넓은 세상으로 나아갈 수 있는 용기를 줍니다.

새로운 시작을 기다리는 카페에서 홀로 보낸 시간은 저에게 깊은 의미를 남깁니다. 이 시간은 저의 삶에 새로운 장을 여는 키가 되며, 앞으로 나아가기 위한 용기와 희망을 심어 줍니다. 작은 카페에서 홀로 된 이 시간은 새로운 시작에 대한 두려움을 용기로 바꾸는 변화의 순간이며, 제 삶의 다음 단계를 향한 소중한 첫걸음이 됩니다.

카페를 떠나면서

그래서 저는 이 작은 카페를 떠나면서, 마음속에 새겨진 구절들과 함께 새로운 시작을 향한 첫발을 내딛습니다. "모든 시작은 작은 용기에서 비롯된다." 이 카페의 시간은 저에게 그 작은 용기를 주었습니다. 이제 저는 그 용기를 가지고 제 삶의 다음 장으로 나아갑니다.

이곳에서 보낸 시간은 저에게 새로운 길을 개척하는 데 필요한 자신감을 주었습니다. 카페의 조용한 분위기 속에서 느꼈던 평온함은 저를 더 강하게 만들었고, 앞으로 나아가야 할 길에 대한 두려움을 설렘으로 바꾸어 주었습니다. 이제 저는 새로운 도전을 맞이할 준비가 되었습니다. 작은 카페에서 홀로 된 이 시간은 저의 삶에서 늘 소중한 추억으로 남을 것입니다.

음악이 고요히 흘러나왔습니다. 저는 다시 기도했습니다. '주 에수 그리스도여, 우리를 불쌍히 여겨 주소서!' 세상의 거대한 폭력과 수렁에서 우리를 구원해

달라는 기도였습니다. 자연스럽게 말이 나오지 않을
때에는 잠시 멈추어서 저의 생각을 정리합니다.

주변의 사람들은 책을 읽거나, 늦은 시간에 작업을 하고
있었습니다. 저는 그들을 바라보며, 그들을 위해 기도를
드립니다. 우리에게 힘을 주소서! 우리의 생각을 부드럽게
표현할 수 있게 하소서! 우리는 함께 이곳에서 자신만의
시간을 만들어내고 있습니다.

그날 밤이었습니다. 저도 또한 늦게까지 카페에
앉아있었습니다. 밖은 추웠지만, 제 마음은 따뜻함으로
가득 차 있었습니다. 카페의 창문 너머로 찬란한 햇살이
비추기 시작했고, 저는 새로운 옷을 입을 준비를 하고
있습니다.

3. 걸음마다 빛나는 순간들

찾아가는 기억

찾고자 했던 곳은 발견하지 못했지만, 그 자체로 걷는 것에 마음을 빼앗겼습니다. 저녁이 내리면, 달빛과 가로등의 은은한 불빛이 세상을 다르게 물들입니다.

마치 처음 발을 내딛는 땅처럼, 그 아름다움에 저는 발걸음을 멈추고, 더 깊이 그 풍경에 빠져들었습니다. 낯선 여행자가 된 것 같은 기분, 예전에 여러 번 찾았던 기억들이 떠오르면서도, 결국 목적지를 찾지 못했습니다.

그러나 이 길을 걷는 것만으로도 상쾌함과 즐거움이 가득합니다. 다시 찾아올 다음을 기약하며, 광화문으로 돌아서는 길, 저는 마치 직장인들 사이의 하나가 된 듯합니다.

달빛 아래, 광장을 거닐며

광장에 서면, 여전히 정의를 외치는 목소리가 울려 퍼집니다. 시민들의 평범한 삶을 위협하는 권력자들의 헛된 탐욕이 우리를 여기, 이 광장에 서게 하였습니다.

그들이 주인 행세를 하던 시간들은 이제 온 세상에 드러났습니다. 그들은 여전히 그 썩은 줄을 붙잡고 있지만, 우리는 작은 움직임으로도 추위와 불의에 맞설 수 있습니다.

이런 생각을 하며, 서점으로 발걸음을 옮깁니다. 매끄러우면서도 부드럽게 읽히는 글귀들, 사람의 마음을 설레게 하는 문장들이 책 사이사이에 수놓아져 있습니다.

인물들의 생동감 넘치는 언어와 다양한 장치들이 문학의 깊이를 더해 줍니다. 저는 충분히 걸으며, 때로는 편안히 앉아 책을 읽기도 합니다.

서점의 고요: 일상을 넘어서

눈이 주변의 소리에 조금씩 피곤해질 즈음, 책을 제자리에 두고 계단을 오릅니다. 다가올 시간을 생각하며, 저를 부르는 소리에 귀 기울입니다. "달고 오묘한 그 말씀 생명의 말씀은 귀한 그 말씀 진실로 생명의 말씀이"(235).

자신을 돌아보며, 무례한 통화를 하면서도 나 자신이 무례하게 살지는 않았는지, 늘 상대방의 말에 귀 기울이고, 그들의 입장에서 생각해 보기로 합니다.

친구들과의 많은 통화들, 바쁜 일상 속에서도 진실을 잃지 않으려 애쓰는 모습들. 삶이 때로는 수많은 도전들로 가득하지만, 용서하고 영서받고, 기다리고 인내하면서, 자신을 사랑하고 돌보는 것이야말로 진정한 삶의 태도 같습니다.

4. 자아와 기도문

기도하는 자아

자아를 탐구하는 이 고요한 여정 중에, 기도문은 마음의
창을 여는 열쇠와 같습니다. 내면의 생각과 감정들이
조용히 흐르는 강입니다. 그리고 우리 자신의 깊은 곳과
연결되는 통로입니다.

이 순간 내면의 대화가 시작합니다. 기도문은 제 안에서
저에게 속삭이고 있습니다. 그리고 저의 노래가 되고
있습니다. 저는 기도 속에서 조용히 나 자신을
들여다봅니다. 삶의 진정한 의미와 방향을 탐구합니다.
기도는 저의 내면에 평화와 안식을 가져다주는 부드러운
봄바람이 되었습니다.

기도문을 통해 저는 나 자신과 더 깊은 대화를 나눕니다.
저의 감정, 욕구, 두려움, 그리고 희망이 기도 속에서
서서히 드러납니다. 자아의 가장 깊은 곳까지 다다릅니다.
무한한 삶의 가능성을 만나게 됩니다.

기도는 타인에 대한 사랑과 연민의 표현이기도 합니다.
저는 타인과의 연결을 더욱 깊게 느낍니다. 타인에 대한

삶의 공감과 이해의 폭을 넓혀줍니다. 개별적인 사항을 넘어서 공동의 일에도 관심을 가지게 합니다.

기도는 자아를 탐구합니다. 그리고 삶을 찾아가는 중요한 과정이 있다는 것을 알게 됩니다. 내면의 목소리에 귀를 기울입니다. 우리는 마음의 평화를 찾는 한 가운데 있습니다. 은총의 수단으로 삶의 깊이와 통찰을 주기도 합니다. 사랑은 가장 강하고 부드러운 소리입니다.

제4부 밤은 날아오릅니다

1. 밤의 일기

창밖으로는 눈이 조용히 내리고 있었습니다. 잠이 오지 않는 그는 침대 위에 앉았습니다. 그리고 아이패드와 키보드를 무릎 위에 올려놓고 글을 쓰기 시작했습니다. 책 한 권이 그의 곁에 놓여 있었는데, 삼 분의 일 정도 읽었습니다. '이처럼 사소한 것들', '데이비드 코퍼필드.' 하지만 오늘 밤, 그는 잠시 책에서 손을 떼고 자기 생각을 글로 옮기고 싶어 합니다.

책 한 페이지를 넘길 때마다 다음 장에 대한 기대감이 커졌습니다. 글은 그를 잡아끌어 밤을 새울 정도로

흥미로웠습니다. 한 편의 잘 짜여진 드라마를 보는 것 같았습니다. 그 책은 겨울밤의 추위를 잊게 해주었습니다. 그리고 마음에 편안함을 가져다주었습니다.

그는 책을 읽으며 자신의 이야기를 어떻게 풀어낼지 생각에 잠겼습니다. 경험한 사건들을 어떻게 글로 옮길 수 있을까, 그리고 그 이야기들을 어떻게 의미 있게 만들 수 있을까, 고민했습니다. 밖에서는 바람이 불어와 지붕과 구조물을 흔들고, 그 소리가 그의 생각에 리듬을 더했습니다.

글을 쓰는 것, 책을 읽는 것, 그 모든 순간은 그에게 즐거움을 주었습니다. 차가운 밤이었지만 침대에서 느껴지는 불편함은 없었습니다. 책장에는 여전히 그를 바라보는 책들이 있었고, 침대 위에는 현재 읽고 있는 책이 표지를 드러내고 있었습니다. 잘 다듬어진 단어들을 볼 때마다, 그는 마치 허름한 옷에서 갑자기 깔끔하고 어울리는 옷으로 갈아입은 것처럼 기분이 상쾌해졌습니다.

밤을 지새우면서, 그는 문학이 주는 무한한 기쁨을 느꼈습니다. 글쓰기와 독서는 그에 삶에 큰 기쁨이자, 자신만의 세계를 만들어가는 과정이 되었습니다.

2. 새벽의 부엉이

차가운 겨울 아침입니다. 저는 에스키모인들처럼 이글루를 만듭니다. 제 마음속에서 저만의 작은 피난처를 구축합니다. 이 피난처는 얇은 방어막 같은 문학의 시작입니다. 저의 나약함을 감싸 안으며, 소통의 수단이 됩니다. 문학은 저에게 감정의 미묘한 변화를 포착하고, 깊은 생각을 표현하는 능력을 부여합니다. 저는 이글루처럼 문학 속에서 나만의 안식처를 찾으며, 세상과 연결되는 따뜻한 길을 모색합니다.

잠에서 깨어나는 순간입니다. 저는 전나무 위의 부엉이처럼, 제 마음속의 글들을 관찰합니다. 이 글들은 처음엔 희미하지만, 시간이 지나면서 그들의 진정한 가치와 메시지를 드러냅니다. 그 부엉이처럼, 저는 깊은 내면을 탐구하며 본질적 삶의 가치를 이해하게 됩니다.

침대 위에서 보내는 새벽은 부엉이가 전해 주는 지혜와 사라지지 않는 기억들로 가득 차 있습니다. 이 부엉이는 제 문학적 여정에서 좋은 친구입니다. 사라져 가는 글 속에서 남겨진 기억의 조각들은 깊은 통찰력과 영감을 제공합니다. 이 글은 사라져도 메시지는 남겨져, 저의 삶과 기억에 큰 영향을 주고 있을 것입니다.

　새벽의 고요함은 생각을 정리하고 내면의 목소리에 귀 기울일 수 있는 완벽한 배경을 제공합니다. 부엉이와 나무 사이의 끊임없는 변화와 순환은 저의 삶과 글쓰기에 많은 영감을 줍니다. 이러한 순간들은 저의 창작 과정에 중요한 순간이 됩니다. 그리고 부엉이가 전해 준 지혜와 기억들을 통해 저의 문학적 여정은 계속해서 풍부해지고 확장되어 갑니다.

3. 고요한 밤, 소리의 여정

소리의 대화

낮에는 왜 밤의 소리를 듣지 못할까요. 그리고 밤에는 왜 낮의 소리를 듣지 못하는 것일까요. 저의 마음을 끊임없이 사로잡고 있는 물음입니다.

낮의 시끄러움 속에서는 밤의 고요한 소리들을 들을 수 없습니다. 그러나 밤이 되면 낮의 번잡함과 소음은 그 의미를 잃어버립니다. 밤은 행동의 세계에서 정신의 세계로 우리를 초대하고 부릅니다.

하지만 낮이 되면, 해야 될 일과에 밤에 꿈꾸었던 일들을 잊어버립니다. 서로 다른 지휘자가 각각을 지휘하고 새로운 곡을 연주하고 있는 것 같습니다. 아직 칠해지지 않은 물감이 서로 다른 시간을 향하고 있습니다. 이렇게 낮과 밤은 각각 다른 방식으로 우리의 삶을 지휘하고 영감을 줍니다.

빛이 사라지는 어두운 시대와 다시 빛으로 밝아지는 세계의 대조는 삶의 다양한 측면을 보여 줍니다. 어둠은 항상 빛의 곁에 존재하며, 때로는 빛을 도전하고

시험합니다. 이러한 상호작용은 삶의 균형과 조화를
나타내며, 인생의 시련과 기쁨, 성장의 과정을 보여줍니다.

제 안에 바다

이 고요한 순간, 노트에 굴러가는 펜촉의 소리가
들려옵니다. 그 소리는 어느 예언자가 들려주는 소리처럼,
시간과 공간을 넘어서는 메시지를 전해주고 있습니다.

어린아이의 성장 과정과 같이, 각 구절과 문장은 새로운
발견과 경험을 상징합니다. 이처럼 펜의 움직임은 단순한
창작을 넘어서, 인간의 움직임과 성숙함을 표현합니다.

밤이 깊어갈수록, 바다의 잔잔한 파도 소리는 더욱 깊고
크게 들려옵니다. 이 소리는 마음의 평정심을 가져다주며,
생각을 더 깊게 하고 마음을 온전히 정화시킵니다.

바다의 실체는 보이지 않지만, 바다의 소리는 우리의
잠든 영혼을 깨우고 있습니다. 그리고 새로운 인식과
각성의 순간을 선사합니다.

4. 겨울밤과 자연

이 모든 문장은 겨울밤의 자연에 대해 이야기합니다.
그리고 한 폭의 그림을 그리려고 합니다. 소리 없이 내리는
눈이 이 겨울밤을 평화롭고 거룩하게 만들고 있습니다.
외부의 모든 세계를 고요하게 만들고 있습니다. 하지만
내부의 이 공간은 더욱 따뜻해집니다.

창밖으로 보이는 눈은 겨울밤의 정취를 완성합니다.
눈이 내리는 모습은 순수하고 잔잔한 아름다움을 줍니다.
겨울밤의 차가움 속에서도 어떤 따뜻함과 안락함을 느끼게
합니다. 우리는 주인공이 되어 깊은 내면의 소리를
듣습니다. 그리고 사색에 잠기고 창조적 영감을 얻게
됩니다.

자연은 내면의 세계와 깊이 연결되어 있습니다. 우리는
눈이 내리는 조용한 밤의 주인공이 되어 자신을 성찰하는
시간을 얻게 됩니다. 그리고 자신에 대한 글쓰기를
시작합니다. 자연은 단지 하나의 배경이 아닙니다.
이야기를 이끌어가는, 주인공의 생각과 감정에 깊은
영향을 주고 있습니다.

이렇게 자연은 우리의 이야기를 새롭게하고 있습니다. 내면에서 나오는 목소리를 듣게 합니다. 그리고 새롭게 창조하게 합니다. 다양하고 풍부한 이야기의 깊이를 더합니다. 우리는 단순히 자연을 바라보는 것 이상으로, 경험하고 느끼면서 상호적용을 할 수 있습니다.

마치는 글

밤이 깊어지면, 세상의 소음은 멀어져 갑니다. 우리의
밤은 또다른 세계로 채워지고 있습니다. 낡은 지붕을 타고
흐르는 빗방울 소리를 듣습니다. 잊혀졌던 기억들이 다시
우리를 부르고 있습니다. 우리 안에 다시 울려 퍼지길
바라고 있습니다. 이 밤 어둠 속에서 저는, 어린 시절
저에게 말을 겁니다. 작은 기쁨과 큰 사랑이 그 안에
있습니다.

친구들과 걷던 골목길, 폭풍우에도 꺼지지 않는 불빛,
찬란한 해변의 소나무 산책길, 내리는 빗소리의 묵상의
거리, 추운 산을 오르던 지혜의 커피 한잔, 긴 여행과 짧은
여행… 저의 글쓰기는 어린 저와 만나는 저의 긴 밤의
흔적입니다. 거대함이 아닌 소소한 저의 삶의 순간의
기록입니다.

그 모든 순간에 함께 했던 시간과 기억들 그리고
사람들께 감사의 인사를 드립니다. 혼자인 것 같지만
우리의 밤은 혼자가 아닙니다. 밤은 조그마한 공명의
여운들을 들을 만큼 고요하기 때문입니다.